ZHONG WEN DU BEN

中文读本

第一册

课程教育研究所 编著

人民教育出版社

王凯西

图书在版编目（CIP）数据

中文读本：第一册/课程教材研究所编著.-北京：人民教育出版
社，2001
ISBN 978-7-107-14331-1

Ⅰ.中…
Ⅱ.人…
Ⅲ.对外汉语教学-阅读教材
Ⅳ.H195.5

中国版本图书馆 CIP 数据核字（2001）第 08951 号

中 文 读 本
ZHONG WEN DU BEN

第一册
DI YI CE

课程教材研究所　编著

*

人民教育出版社出版发行
（中国北京市海淀区中关村南大街 17 号院 1 号楼　邮编：100081）
网址：http://www.pep.com.cn
Fax No • 861058758877
Tel No • 861058758866

北京人卫印刷厂印装

*

开本：890 毫米×1 240 毫米　1/16　印张：12.75
2001 年 7 月第 1 版　2010 年 7 月第 3 次印刷

编写说明

　　《中文读本》共三册，是与《标准中文》第三级课本相配套的课外阅读教材，也可以做一般的中文泛读教材使用。

　　在第二语言的学习中，大量的阅读训练是全面提高目的语交际能力的重要手段。《中文读本》就是要在学习《标准中文》第一、二级的基础上，进一步扩大学习者的课外阅读量，切实提高他们的中文阅读水平和口语交际能力。

　　《中文读本》在编写上有以下几个特点。第一，以功能、文化为纲，兼顾结构。这套教材按内容组织单元，主要编选有浓厚文化色彩的文章，同时在文章中尽可能多地复现学过的字词和语法知识。这样，既可以为学习者进一步提高阅读技巧和言语技能提供依托，又能为他们打开一扇了解华夏古代文明和现代中国社会文化生活的窗口。第二，全套教材采用旁批的形式。旁批的内容一是本课词语的英文对译或释义，帮助学习者扫除阅读障碍；二是针对文章内容提出适当的问题，检查学习者对文章的理解和把握；三是就文章涉及的语言点设计相应的练习，有利于学习者复习和巩固从课本中学到的知识。第三，全套教材编写体例整齐一致。每一册共60篇课文，分6个单元编排。每课内容包括课文、旁批、生字表（生字随文注音）、词语表等。生字要求学生能够写一写，练一练，词语要求学生认识并弄懂意思，旁批中的问题和练习希望学习者能够认认真真地完成；文前有从课文中选出的主旨句或精彩语句,帮助学习者理解课文,引起他们的阅读兴趣;文后还附有小笑话、小故事、小谜语、简短的寓言和诗歌等,形式活泼多样,内容生动有趣,力求让学习者在轻松愉快的阅读氛围中提高使用中文的能力。第四,由于《中文读本》主要做课外阅读使用,所以我们没有规定字词方面的学习目标,这个尺度和弹性由教师依据学生的程度和教学情况具体掌握。

本册课本是《中文读本》第一册,与《标准中文》第三级第一册配套使用。这一册主要有古代寓言神话和故事、中国名胜古迹、文化风俗介绍、语言文字知识、反映童真童趣的散文精品,以及一定量的诗歌、小说等。选文内容丰富,体裁多样,富有趣味性,可读性强,相信能够受到学习者的喜爱。

参加本册编写的有王本华、赵晓非、聂鸿飞、王世友、施歌。责任编辑王世友。审稿是王本华、韩绍祥。英语部分特约唐钧、刘锦芳、袁冰审稿。

课程教材研究所

2001 年 3 月

目 录

羿(yì)真是一个神射手。他一支接一支地把箭朝太阳射去，每支箭都能射中一个太阳。中了箭的九个太阳一个接一个地死去。

神射手：expert; marksman

1 后羿射日

很久很久以前，宇宙中曾经有十个太阳。他们的母亲是东方天帝(dì)的妻子。她常把十个孩子放在世界最东边的热水池里洗澡。洗完澡后，他们像小鸟那样居住在一棵大树上。其中九个太阳居住在长得较矮的枝条上，另一个则居住于树梢(shāo)上，每夜一换。

当黎(lí)明来到时，居住在树梢上的太阳便坐着龙拉的车穿越天空。十个太阳每天一换。那时，太阳照着大地，森林茂密，五谷丰登，人和动物都幸福地生活在一起。

一天，十个太阳想，要是他们一起周游天空，一定会很有趣。于是，当黎明来到时，十个太阳一起爬上车，开始了空中旅行。

★ 以前，天空中有几个太阳？

天帝：God

热水池：hot pool

枝条：branch

树梢：treetop

黎明：dawn

龙：dragon

穿越：pass through; cut across

五谷丰登：an abundant harvest of all food crops

周游：travel round; journey round

♣ 试着用"于是"造句。

把

十个太阳刚一爬上天空，大地立刻就被烤焦了。森林着火，化成灰烬(jìn)，烧死了许多动物。河流干了，所有的鱼都死了。供给[gōng jǐ]人和家畜(chù)的食物马上就要断绝。一些人也被太阳的火焰活活烧死了。

人们请求他们的皇帝尧(yáo)帮助他们。尧立即找来名叫羿的神射手，因为他知道只有羿才能拯(zhěng)救世界。尧命令羿射杀九个太阳，拯救人类。

羿真是一个神射手。他一支接一支地把箭朝太阳射去，每支箭都能射中一个太阳。中了箭的九个太阳一个接一个地死去。他们的光和热慢慢地消失了。大地越来越暗，最后只剩下一个太阳在发光。四面八方的人凝(níng)视着天空，高兴极了。人和动物又可以重新快乐地生活了。

着火：be on fire

灰烬：ashes

供给：supply

家畜：domestic animal; livestock

★ 世界为什么会突然变得这样热？

拯救：save; rescue; deliver

★ 为什么说羿是"神射手"？

✿ 用"越来越……"造句。

凝视：gaze fixedly; stare

★ 人们为什么那么高兴？

羿			帝			梢		
黎			烬			畜		
尧			拯			凝		

龙　　　　天帝　　　　枝条　　　　树梢　　　　黎明　　　　穿越

周游　　　　着火　　　　灰烬　　　　供给　　　　家畜　　　　拯救

凝视　　　　神射手　　　　热水池　　　　五谷丰登

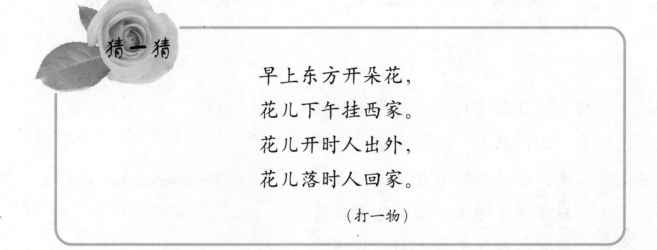

猜一猜

早上东方开朵花，
花儿下午挂西家。
花儿开时人出外，
花儿落时人回家。

（打一物）

她再也不感觉寂寞(jì mò)和孤独了，因为世界上已经有了她所创造的儿女。

感觉: feel

寂寞: lonely

❀辨别"娲"和"祸"的读音。

2 女娲 (wā) 造人

当天地开辟了以后，虽然大地上已经有了山川草木、鸟兽虫鱼，可是没有人类，世界仍旧一片荒凉。女娲行走在寂寞的土地上，心里感觉非常孤独。她觉得在这天地之间，应当添一点什么东西进去，让它生气勃勃(bóbó)起来才好。她想了想，就在一处水池旁边蹲下来，从池边地上挖起一块黄泥，加了点儿水，仿照水里自己的样子，团成一个娃娃样的小东西。刚一放到地面上，说也奇怪，这小东西就活了起来，呱呱(gūgū)地叫着，欢喜地跳着了。女娲给他起了个名字叫做"人"。人的身体虽然渺(miǎo)小，但因为是神亲手创造的，和飞的鸟、爬的兽都不相同，一看就有领导宇宙的气势。女娲对于她这优

荒凉: bleak and desolate; wild

生气勃勃: full of vitality; vigorous

★女娲为什么要创造人？

仿照: imitate; follow

渺小: tiny; insignificiant

★女娲是用什么方法创造人的？

美的创造品是相当满意的，便又继续用水和黄泥造成了许多男男女女的人。这些人都围着女娲跳跃、欢呼，然后便各自走开了。

女娲的心里充满了惊讶（yà），她继续着自己的工作，于是随时有活生生的人从她的手里诞（dàn）生，随时听到周围人们欢呼的声音。她再也不感觉寂寞和孤独了，因为世界上已经有了她所创造的儿女。

女娲想让这些小生命布满大地，但是大地实在太大了，她工作了很久，已经很累了，还是没有达到目的。最后，她只得拿了一条绳子伸进水池里，再向地面上一挥，泥点落下的地方，居然也还是成了欢喜地叫着、跳着的一些小小的人。这方法果然容易得多，大地上不久就布满了人类的踪（zōng）迹。

大地上已经有了人类，女娲又考虑着，怎样才能使他们继续生存下去呢？人类是要死的，死了一批再造一批，那太麻烦了。于是她就让男人们和女人们结合起来，叫他们自己去创造后代。人类的种子就这样地延（yán）续下来，并且一天比一天增多了。

惊讶：surprise; amazement

工作：work; job

随时：at any moment; at all times

诞生：come into being

♣ 用"再也不……"造句。

生命：life

达到：achieve

方法：method

踪迹：track; trace

麻烦：troublesome

后代：later generations; descendants

延续：continue

★ 女娲是怎样让人类的种子延续下来的？

感觉　　寂寞　　荒凉　　仿照　　渺小　　惊讶
工作　　随时　　诞生　　生命　　达到　　方法
踪迹　　麻烦　　后代　　延续　　生气勃勃

读一读

伊（yī）甸园(the Garden of Eden)里

上帝创造天、地、海和万物以后，在第六日造人。耶和华(Jehovah)上帝按照自己的样子，用地上的尘土造出一个人，往他的鼻子里吹一口生气，有了灵，人就活了，能说话，能走路。上帝给他起个名字，叫亚当(Adam)。

上帝派亚当看守（watch; guard）伊甸园。伊甸园里有各种各样的动物，亚当一个人管不过来。上帝说："一个人独居不好，我要为他造一个配偶(spouse)，以便帮助他工作。"

于是，上帝使亚当睡着了，然后从他身上取下一根肋（lèi）骨（rib），造了一个女人做他的妻子。亚当一觉醒来，看见女人，非常高兴。从此以后，他就和妻子住在伊甸园里，过着幸福的生活。

他想想还有点儿不放心，就在埋银子的地方插了一块木牌，上面写着"此地无银三百两"。做完这一切，张三才觉得保险了。

保险：safe

3 此地无银三百两

从前，有个叫张三的人，生活过得很简朴(pǔ)，省(shěng)下了三百两银子，高兴得不得了。他担心这么多银子放在家里不安全，想找个地方把它藏起来。可是藏到哪儿呢？开始他把银子放在一个箱(xiāng)子里，外面又加上两把锁(suǒ)。过了一会儿，他还是觉得不妥：要是有人连箱子一起偷走，怎么办呢？想来想去，最后他决定把银子放在坛(tán)子里，然后把坛子埋到地下，这样最安全。

夜里，等人们都睡了以后，张三一个人在自己房屋的后面挖了个坑，把那个坛子埋了起来。他想想还有点儿不放心，就在埋银子的地方插了一块木牌，上面写着"此地无银三百

简朴：simple and unadorned; plain

省：save; economize

♣用"……得不得了"造句。

安全：safe

箱子：chest; box; trunk

锁：lock

坛子：earthen jar; jug

★张三想到了一个什么样的"安全"办法？

房屋：house; building

7

两"。做完这一切，张三才觉得保险了。

不过，张三哪里知道，自己挖坑、埋银子的事早被邻居阿二全都看在眼里了。阿二笑道："张三真是个大傻（shǎ）瓜，这不是明明告诉人家这里有银子吗？"于是，阿二等到张三睡着了以后，便来到张三的房屋后面，把坛子里面的三百两银子全挖了出来。阿二又想："如果张三知道是我偷的，可怎么办？"他就在埋银子的地方也插了一块木牌，上面写着"邻居阿二不曾偷"。

这是一个故事，常用来比喻有的人所说的话或所做的事正好暴（bào）露了他所要掩（yǎn）盖的内容。

傻瓜：fool

明明：obviously; plainly

★ 为什么阿二也要插一块木牌？

暴露：expose

掩盖：conceal; cover up

❖ 比较"掩"和"淹"的不同，各组一个词。

★ 这个故事嘲笑了什么样的人？

朴			省			箱	
锁			坛			傻	
暴			掩				

省	锁	保险	简朴	安全	箱子
坛子	房屋	傻瓜	明明	暴露	掩盖

读一读

刻舟求剑（jiàn, sword）

战国时候，楚国有一个人乘船渡江，不小心，把一口宝剑掉到江里去了。他马上在船边刻上记号（mark; notch），说："剑是从这里掉下去的。"船又往前划行了好久，靠岸后，他就从船上刻有记号的地方跳下去捞剑。他能捞得到吗？

皇帝果然放掉了阿凡提，并且给了他许多金银财（cái）宝。阿凡提就把金银财宝都分给了穷苦的老百姓。

金银财宝: money and valuables

♣ 区别"财"和"材"，并分别组词。

穷苦: poor

老百姓: common people

4 聪明的阿凡提

从前有个非常聪明的人，名字叫阿凡提。那时候有个皇帝很坏，经常欺压老百姓，可是老百姓不敢说什么，谁说了，谁就要被杀头。阿凡提可不怕，他骑着一头小毛驴，走到哪里，就在哪里骂皇帝。这件事被皇帝知道了，他就派人把阿凡提抓来了。

欺压: tyrannize

杀头: kill; decapitate

★ 皇帝为什么要抓阿凡提?

皇帝说："阿凡提，你的胆子真不小，敢到处说我坏话。听说你很聪明，今天我要问你一个问题，如果你回答不出来，我就要杀掉你。"

坏话: cuss; malicious remarks

♣ 用"如果……就……"造句。

阿凡提笑嘻（xī）嘻地说："那你就问吧！"

笑嘻嘻: smiling broadly

皇帝问："你知道天上有多少星星?"

阿凡提回答："天上的星星跟你的胡子一样多。"

皇帝又问："那我的胡子有多少呢？"

阿凡提说："你的胡子就和我的那头小毛驴的尾巴毛一样多。要是你不相信，你就数一数。"

皇帝想，这怎么数得清呀！于是他就发火了，立即要把阿凡提杀死。

即使在这种情况下，阿凡提仍然笑嘻嘻的。

皇帝觉得奇怪，就问："阿凡提，你不怕死吗？还笑什么？"

阿凡提说："我早就知道自己今天要死了。我不但知道自己哪一天死，而且还知道你哪一天死呢！"

皇帝吓了一跳，急忙问："快说，快说，我哪一天死？"

阿凡提说："你比我晚一天死。我今天死了，你明天就死。你只能比我多活一天。"

皇帝听了阿凡提的话，吓得浑（hún）身发抖（dǒu），连忙喊到："快，放掉阿凡提！阿凡提呀，你千万不能死啊。你应该再活一万年，那我可以再活一万年零一天了。你行行好吧，我多给你一点儿金银财宝。"

✤ 用"要是……就……"造句。

发火：get angry

★ 皇帝为什么发火？

即使：even though

✤ 用"不但……而且……"造句。

浑身：from head to foot; all over

发抖：tremble; shiver

★ 听了阿凡提的话，皇帝为什么害怕？

行行好：be merciful

皇帝果然放掉了阿凡提，并且给了他许多金银财宝。阿凡提就把金银财宝都分给了穷苦的老百姓。

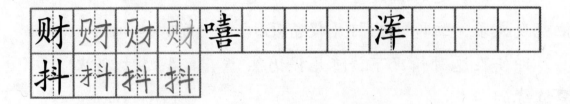

★ 你觉得阿凡提聪明吗？为什么？

财	财	财	财	嘻				浑			
抖	抖	抖	抖								

穷苦　　　欺压　　　杀头　　　坏话　　　发火　　　即使
浑身　　　发抖　　　老百姓　　　笑嘻嘻　　　行行好
金银财宝

 笑一笑

酒店里，一个人生气地对酒店老板（boss）说："你们怎么能往酒里掺（chān, mix into）水呢！这太不像话了！"那个老板笑嘻嘻地说："可是你并不吃亏（kuī, suffer losses）呀，我又没有收你的水钱！"

风停了，雨住了，太阳出来了，墓(mù)边开着鲜花。一对美丽的大蝴蝶从墓中飞了出来，在鲜花丛中来回飞舞。

墓: grave; tomb

5 梁(liáng)山伯与祝英台

❖注意"梁"和"梁"的区别。

古时候，有个又聪明又漂亮的姑娘(niang)叫祝英台。她十七岁了，非常想念书，但在那时候，女孩子是不许出门上学的。于是，她想了一个办法：打扮(bàn)成男的，不是就可以了吗？

姑娘: girl

打扮: dress up

祝英台女扮男装离开了父母，到杭(háng)州去念书。在路上遇见了一个青年，叫梁山伯，十八岁，也是到杭州去念书的。两个人在路上一边走，一边说，很快就成了好朋友。到了杭州，他们就在一个学校上学。他们俩同学三年，互相关心，互相帮助，感情越来越深。但是，梁山伯始终不知道祝英台是个女的。

女扮男装: disguise a woman as a man

❖用"一边……一边……"造句。

关心: care for

感情: emotion; feeling

始终: all along; throughout

一天，祝英台接到父亲寄来的一

的

封信，说有重要的事情，叫她赶快回家。梁山伯听说祝英台要回家，心里十分难过。

在送别的路上，他们看见一口井，祝英台就拉着梁山伯来到井边。望着井水里的影子，祝英台说："你看，咱们多像一对夫妻。"梁山伯听了很不高兴地说："你为什么把我当成女的呢？"祝英台没有办法，只好请他不要生气。一路上祝英台多次向梁山伯暗示自己是个女孩子，但是老实的梁山伯一点儿也不明白她的意思。

祝英台回到家里，才知道父亲让她回来，是要她与一个大官的儿子结婚。祝英台坚决反对，一定要等梁山伯。她的父亲生气地说："梁山伯家里那么穷，我的女儿绝对不能嫁（jià）给他！"

祝英台走后，梁山伯很想念她。不久，他就去看望祝英台。

梁山伯来到祝英台家，想不到出现在他面前的祝英台竟（jìng）是一个女孩子。这时他才恍（huǎng）然大悟（wù）。正在又惊又喜的时候，祝英台却眼含着泪水告诉他，父亲正逼着自

★ 父亲为什么叫祝英台赶快回家？

送别：see a person off

暗示：hint

坚决：firmly; resolately

反对：oppose

绝对：absolutely

嫁：marry

竟：actually; unexpectedly

恍然大悟：suddenly realize what has happened

❧ 用"又……又……"造句。

已出嫁。梁山伯听了，难过得一句话也说不出来，回到家里不久就病死了。

听到梁山伯死了的消息，祝英台哭了三天三夜。后来她不哭了，答应父亲说，可以和那个大官的儿子结婚，但是，结婚的那天，花轿必须从梁山伯的墓地经过。她父亲只好答应了。

结婚那天，花轿来到梁山伯的墓地。祝英台跪在梁山伯墓前，悲（bēi）痛地哭了起来。这时，天一下子暗下来了，刮起了大风，下起了大雨。忽然一声巨响，梁山伯的墓裂开了，祝英台纵身跳进去，墓很快又合上了。

风停了，雨住了，太阳出来了，墓边开着鲜花。一对美丽的大蝴蝶从墓中飞了出来，在鲜花丛中来回飞舞。

★ 祝英台为什么答应了父亲？

花轿：bridal sedan chair

墓地：cemetery

悲痛：sorrowfully

纵身：jump; leap

★ 文中最后说"一对美丽的大蝴蝶从墓中飞了出来"，这有什么含意？

墓	墓	墓	墓	梁	梁	梁	梁	娘	娘	娘	娘
扮				杭				嫁			
竟				恍				悟			
悲											

墓　　　嫁　　　竟　　　　姑娘　　打扮　　关心

感情　　始终　　送别　　　暗示　　坚决　　反对

绝对　　花轿　　墓地　　　悲痛　　纵身

女扮男装　　恍然大悟

相　思^①

王　维

红豆^②生南国，

春来发几枝。

愿君多采撷^③，

此物最相思。

---

① [相思] 男女因互相喜欢却又无法接近而引起的思念。

② [红豆] 一种树的种子，常用来象征相思。

③ [采撷 (xié)] 采，摘。

一天，矮儿子们对爸爸、妈妈说："我们虽然矮小，可是有聪明的头脑，我们要自己出去过日子。"

矮小：short and small

头脑：brains; mind

过日子：live; get along

6 六个矮儿子

山脚下住着一家人。家里有六个矮儿子，总是长不高。一天，矮儿子们对爸爸、妈妈说："我们虽然矮小，可是有聪明的头脑，我们要自己出去过日子。"

一年过去了，六个矮儿子回来了。爸爸、妈妈乐呵（hē）呵地问："你们是怎样过日子的呀？"

第一个矮儿子说："我从早到晚都为八只脚忙。我傍晚提着灯到湖上，投下一条粗绳，八只脚看见灯光，就顺着绳子爬上来。到半夜能捉到二十多只，拿到集市上，可以卖不少钱呢！"

第二个矮儿子说："我呀！我是靠六只脚生活的。"妈妈笑着说："是不是苍蝇（ying）呀？""不，苍蝇多脏呀。我等春天来了以后，把小箱子

山脚：base of the mountain

❧ "矮"的反义词是什么？

乐呵呵：joyfully

集市：bazaar

★第一个矮儿子养的是什么？

苍蝇：fly

搬到田野，六只脚就开始采花酿（niàng）蜜，那生活可美了。”

大家问第三个矮儿子："你靠什么生活？""我是靠四条腿。去年我买了十多只，今年已经有三十多只了，都养得肥肥壮壮的。只是人很辛（xīn）苦。"

爸爸、妈妈说："为了生活，辛苦一点儿是好的。光吃不做，活着才没意思呢！"

第四个矮儿子说："这话很对，不过靠四条腿还不如靠两只脚好。"他又说，"我养了几百只两只脚，有尖尖嘴，也有扁扁嘴。每天可以收好多好多蛋呢！"

"哈哈！"大家笑着转向第五个矮儿子。"我说，养两只脚不如养一只脚好。""世界上哪有一只脚的东西？"大家好奇地问。

"我造了一间漂亮的草房，分两层，上层铺些牛马粪（fèn），撒上种子。不久，一只脚就长出来了。有大有小，像一把把白色小伞，真好看！"

最后，大家看着第六个矮儿子："你是怎么生活的呢？"第六个矮儿子笑嘻嘻地说："我专养没有脚的东

酿蜜：brew

★ 第二个矮儿子养的是什么？

辛苦：toilsome; hard

★ 第三个矮儿子养的是什么？

❀ 用"……不如……"造句。

★ 第四个矮儿子养的是什么？

粪：dung; faeces

★ 第五个矮儿子养的是什么？

西。只要有个池塘，春天放下一桶苗（miáo），天天喂些食物，看着没有脚的在水里游来游去，高兴极了。"

听了六个矮儿子的话，爸爸、妈妈开心地笑了："你们真是聪明勤劳的好儿子！"

苗：the young of some animals

★ 第六个矮儿子养的是什么？

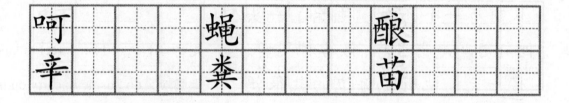

| 呵 | | | 蝇 | | | 酿 | | |
| 辛 | | | 粪 | | | 苗 | | |

粪　　　苗　　　矮小　　　头脑　　　山脚　　　集市
苍蝇　　酿蜜　　辛苦　　　过日子　　　乐呵呵

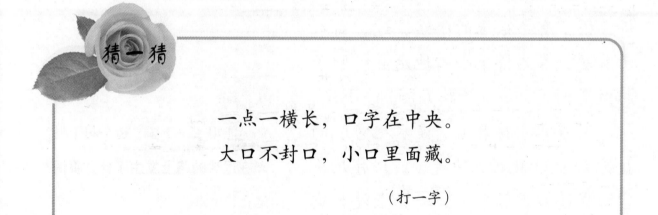

猜一猜

一点一横长，口字在中央。
大口不封口，小口里面藏。

（打一字）

商人很生气，他怀疑驴子在跟他捣鬼（dǎo guǐ）。他想，下一回我也来捉弄驴子一下。

怀疑：doubt; suspect

捣鬼：play trick; do mischief

7 驴和盐（yán）

盐：salt

从前有一个商人，他养了一头驴。他赶着驴走街串巷，做各种买卖。

有一天，他听说海边的盐很便宜。他想："我可以把盐运到山里去，卖一个好价钱。"于是，他带上驴子去买盐。

盐果然很便宜，商人买了许多，把它们驮在驴背上。一路都很顺利。他们来到山间，经过一座很窄的石桥，桥下有条很深的小溪流过。商人牵着驴，在石桥上小心地走着。驴子忽然滑倒了，一下子跌（diē）进小溪。

驴在水中挣扎着，溪水把它驮的盐溶（róng）化了，冲走了，只有几条空口袋还系在驴背上。驴身上没有重东西压着，很容易地上了岸，轻松愉快地继续赶路。

过了不久，商人决定再去买一次

走街串巷：go from street to lane

做买卖：do business; carry on trade

价钱：price

★ 商人为什么要买盐？

跌：fall

❀ 你能用"一下子"造个句子吗？

★ 在运盐的路上发生了什么事情？

溶化：melt

轻松：light; relaredly

盐。他带着驴到海边去，让驴驮上盐往山里走。一到那座石桥，驴就想起它曾经多么轻松地甩掉重担，不驮东西走路又是多么舒服。这一回它故意跌到溪里去，在水里挣扎，直到盐溶化得干干净净。

商人很生气，他怀疑驴子在跟他捣鬼。他想，下一回我也来捉弄驴子一下。

这次，他来到海边，买了两大包海绵。驴子高高兴兴地出发了。

驴子想："这口袋真轻，一到那座石桥就会更轻了。"

不久，他们来到石桥。驴又故意滑到水里去，倒在那儿挣扎，等驮的东西像上两回一样溶化掉。

海绵没有溶化掉，却很快地吸满了水。

驴感到背上的口袋越来越重，心想："这是什么东西？"

"不对呀！"后来，它觉得自己在溪里直往下沉，就大叫道："救命呀！主人，救命呀！"

商人弯腰把这头喘着气的驴从水里拉上岸。

"我们走吧，怎么样？"商人说着

♣用"一……就……"造句。

甩掉：throw off; cast off

重担：heavy burden

故意：on purpose; deliberately

♣用"故意"造句。

海绵：sponge

★商人为什么不让驴子驮盐，而驮海绵？

救命：help

牵着驴子继续向前走去。

驴子迈(mài)着沉重缓慢的步子向村里走去。它奇怪地想："真倒霉，这回驮的东西怎么变重了呢？"

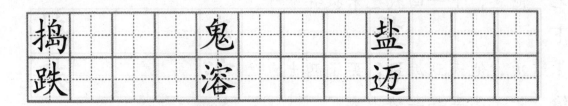

| 捣 | | | 鬼 | | | 盐 | | |
| 跌 | | | 溶 | | | 迈 | | |

盐　　跌　　迈　　怀疑　　捣鬼　　价钱
溶化　　轻松　　甩掉　　重担　　故意　　海绵
救命　　沉重　　做买卖　　走街串巷

读一读

守株(zhū, trunk of a tree)待兔

古时候，有一个农夫在田里种地。田里有一根树桩，一只兔子奔跑时撞到树桩上，一下子就撞死了。这个农夫把死兔子捡回家，美美地吃了一顿。从此以后，他再也不干活了。他每天守在那根树桩旁边，希望再有兔子跑过来撞死，自己能再捡到死兔子饱餐一顿。

小马说："让我试试吧。"他一面回答，一面下了河，小心地走了过去。

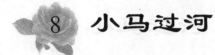

8 小马过河

马棚（péng）里住着一匹老马和一匹小马。

有一天，老马对小马说："你已经长大了，能帮妈妈做点儿事吗？"小马兴奋地说："怎么不能？我很愿意帮您做事。"老马高兴地说："那好啊，你把这半口袋麦（mài）子驮到磨（mò）房去吧。"

小马驮起口袋，飞快地往磨房跑去。跑着跑着，一条小河挡住了去路，河水哗（huā）哗地流着。小马为难了，心想：我能不能过去呢？如果妈妈在身边，问问她该怎么办，那多好啊！可是现在已经离家很远了。他向四周望望，看见一头老牛在河边吃草。小马嗒（dā）嗒嗒跑过去，问道："牛伯伯，请您告诉我，这条河，我能过去

马棚：stable

✤ 你能比照"马棚"用"棚"组几个词语吗？

麦子：wheat

磨房：mill

去路：the way along which one is going

为难：feel embarrassed; feel awkward

✤ 请你试着用"为难"造个句子。

伯伯：uncle

吗？"

老牛说："水很浅，刚没 $\overset{mò}{没}$ 小腿，能过去。"

小马听了老牛的话，立刻跑到河边，准备过河。突（tū）然，从树上跳下一只松鼠，拦住他大叫："小马！别过河，别过河，河水会淹死你的！"小马吃惊地问："水很深吗？"松鼠认真地说："当然啦！昨天，我的一个伙伴就是掉在这条河里淹死的。"小马连忙收住脚步，不知道该怎么办才好。他叹了口气说："唉（ài），还是回家问问妈妈吧！"

小马甩甩尾巴，跑回家去。妈妈问："怎么回来啦？"小马难为情地说："有一条河挡住了，过……过不去。"妈妈说："那条河不是很浅吗？"小马说："是呀！牛伯伯也这么说。可是松鼠说河水很深，还淹死过他的伙伴呢。"妈妈说："那么到底是深还是浅呢？你仔细地想过他们的话吗？"小马低下了头，说："没……没想过。"妈妈亲切地说："孩子，只听别人说，自己不动脑筋，不去试试，是不行的。你去试一试，就会明白了。"

★ 为什么老牛说河水很浅？

突然：suddenly; all at once

松鼠：squirrel

吃惊：surprisingly

脚步：footstep

叹气：sigh

唉：interj.（a sign of regret）

★ 为什么松鼠说河水深？

难为情：ashamedly; embarassedly

♣ 用"是……还是……"造句。

亲切：kindly

动脑筋：use one's head

小马跑到河边，刚刚抬起前蹄(tí)，松鼠又大叫起来："怎么，你不要命啦！"小马说："让我试试吧。"他一面回答，一面下了河，小心地走了过去。原来河水既不像老牛说的那样浅，也不像松鼠说的那样深。

前蹄: forehoof

♣ 用"一面……一面……"造句。

★ "小马过河"说明了什么道理？

棚				麦			磨		
哗				嗒			突		
唉				蹄					

马棚　　麦子　　磨房　　去路　　为难　　突然

松鼠　　吃惊　　脚步　　叹气　　伯伯　　亲切

前蹄　　难为情　　动脑筋

想一想

盲（máng, blind）人摸象

几个盲人想知道大象是什么样子的，就一起去摸一头大象。摸到象牙（ivory）的说，象像一个大萝卜（luóbo, radish）；摸到象耳朵的说，它像一把扇子；摸到脚的说，它像一根柱子；摸到后背的说，它像一张床；摸到肚子的说，像一个大瓦（wǎ）缸（earthen vat）；摸到尾巴的说，像一条粗绳子。几个盲人在那里争论不休（debate endlessly）。他们为什么会争论不休呢？

山上的树木、瀑布、良田又苏醒了，人们重新过上了幸福的生活。可是海水，却把花珊姑娘和妈妈隔开了。

9 武夷(yí)山和阿里山的传说

很久以前，东南沿海的武夷山是和台湾的阿里山连在一起的。那时漫山遍野的果树上挂满了果子，山下是肥沃(wò)的土地。那里的人们过着幸福的生活。

可是有一年，山里来了一个妖(yāo)怪，占据了整个大山。从此，山上的树木死了，小溪没水了，肥沃的土地也干裂(liè)了。人们只好拖儿带女，离开了世代生活的故乡。

在大山的西边住着母女二人。母亲勤劳善良，女儿花珊，十九岁，美丽、聪明又勇敢。花珊看到人们被妖怪害得生活不下去，心里很难过。她决心要除掉妖怪。于是，她开始苦练

瀑布：waterfall

良田：fertile farmland

沿海：coastal

漫山遍野：all over the mountains and plains

肥沃：fertile; rich

妖怪：monster

♣用"从此"造句。

干裂：be dry and cracked

拖儿带女：be burdened with children

世代：for generations

勇敢：brave

★姑娘为什么决心除掉妖怪？

本领。经过九九八十一天，终于练就了高超的射箭本领和一手好刀法。

一天，花珊告别妈妈，要上山去除妖了。妈妈拉着她的手，说："女儿啊，妈不拦你，可是千万要小心啊！你除掉了妖怪，就赶快回家。"花珊姑娘也含着泪说："妈妈放心，我除了妖怪，马上就回来，永远和妈妈生活在一起。"说着便离开了家门。

这天晚上，乌云遮住了月亮，姑娘紧握弓（gōng）箭，向山上走去。突然，她发现不远的山顶上，有两道绿光渐渐向她靠来。姑娘断定这就是妖怪，于是搭上箭，用力朝绿光射去。妖怪被射中了眼睛，痛得直打滚。花珊跳到妖怪身上，举起大刀，朝它的脖子使劲砍去，直砍得妖怪乱蹦乱跳。忽然，她觉得大地在向下陷，只听一声巨响，高大的武夷山断为两半，中间出现了一条很深的沟，妖怪"轰"的一声，掉到了沟底。花珊一下子跳到了山的东边。这时，奔腾（téng）的海水涌（yǒng）进了大沟，形成了台湾海峡（xiá）。那断裂的大山，西边就是现在的武夷山，东边就是现在台湾的阿里山。

弓箭：bow and arrow

★绿光是从哪里射出来的？

打滚：roll about

奔腾：surge

涌：gush; surge

海峡：strait; channel

断裂：split; crack

山上的树木、瀑布、良田又苏醒了，人们重新过上了幸福的生活。可是海水，却把花珊姑娘和妈妈隔开了。

妈妈爬上高高的武夷山顶，盼望女儿能早一天回到自己的身边。然而，一天天过去了，女儿没有回来。妈妈渐渐地变成了一块巨大的岩石，高高地立在武夷山上。

女儿被隔到海的东面，也时时想念着母亲。她站在阿里山顶上，望啊望啊，可是怎么也望不到妈妈。于是，变成了一棵红桧（guì）树，每天、每月、每年，都在不停地生长着。因此，红桧树就被叫做阿里山的思母树。据说，日月潭水就是女儿想念母亲流下的眼泪！

★ 为什么花珊和妈妈会被隔开?

然而：however

夷			沃			妖	
裂			弓			腾	
涌			峡			桧	

涌　　　瀑布　　良田　　沿海　　肥沃　　妖怪
干裂　　世代　　勇敢　　弓箭　　打滚　　奔腾
海峡　　断裂　　然而　　漫山遍野　　拖儿带女

夜雨寄北①

李商隐

君问归期未有期，
巴山夜雨涨②秋池。
何当共剪西窗烛，
却话巴山夜雨时。

———————

① [寄北] 这首诗是寄给妻子的。当时诗人在巴山，他的妻子在长安，所以说"寄北"。

② [涨（zhǎng）] 水面升高。

小孩子微笑着说："你有一回让我在你的花园里玩过，今天我要带你到我的花园里去，那就是天堂啊。"

 ## 10 自私（sī）的巨人

自私: selfish

　　从前有一个巨人，他有个可爱的大花园，园里长满了青草。花园里有十二棵桃树，春天开满鲜花，秋天果实累 [léi] 累。小鸟在枝头快乐地歌唱，孩子们都喜欢到这儿来玩。

♣用"禾"旁组字，越多越好。

累累: countless

　　一天，巨人出远门回来，看见小孩子们正在花园里玩。他粗暴地叫道："这是我的花园，你们谁也不能在里面玩！"他在花园四周筑起高墙，还挂了一块"不准入内"的牌子。他真是一个自私的巨人！现在那些孩子们没有玩的地方了，他们放学以后常常在高墙外面转来转去。"我们以前在那儿玩得多么快乐啊！"他们都这样说。

粗暴: rudely; roughly

牌子: plate; sign

　　春天来了，到处开着小花，到处都有小鸟歌唱。只有巨人的花园里仍

到处: at all places; everywhere

旧是冬天的景象。巨人坐在窗前，望着他那雪白的花园自言自语："春天为什么来得这么迟（chí）？但愿天气不久就会变好。"可是春天始终没有来，只有冬天永远留在那里。

一天早晨，巨人醒来，忽然听见一只小鸟在他的窗外唱歌。"这真是世界上最美的音乐！"巨人高兴地想，"春天到底来了！"巨人跳下床，看到一个非常可爱的景象：孩子们从墙上的一个小洞里爬进园子，坐在树枝上面。树上鲜花盛开，小鸟们四处飞舞欢唱。

看到这情景，巨人的心软了。他对自己说："我是多么自私啊！现在我明白为什么春天不肯到这儿来了。我要把我的花园永远变为孩子们的游戏场。"

可是园子最远的角落里，那棵树还是满身盖着冰冷的雪。站在树下的那个孩子太小了，怎么也够不着树枝。他在树旁哭得很厉（lì）害。巨人悄悄地走到那个最小的孩子后面，抱起他，放到树枝上去。这棵树马上开花了，鸟儿们也飞来歌唱。小孩儿抱着巨人的脖子亲吻（wěn）他的脸。

景象：scenery; scene; view

自言自语：talk to oneself

迟：late

但愿：I wish

★ 为什么春天始终没有来到巨人的花园？

❧ 用"到底"造句。

★ 巨人为什么改变了主意？

角落：corner; nook

冰冷：ice-cold

厉害：terribly; heavily

❧ 比较"厉"和"历"，然后组词。

亲吻：kiss

孩子们看见巨人不再那样凶了，都跑来围在他身边。巨人说："孩子们，花园现在是你们的了。"说完，他拿出一把大斧（fǔ），砍倒了围墙和那块牌子。

巨人和小孩儿玩了一整天。天黑了，小孩子们来向巨人告别，可是那个吻过他的最小的孩子已经不见了。孩子们说以前从没有见过他，也不知道他住在什么地方。

每天下午，孩子们一放学就来找巨人一起玩，可是巨人最喜欢的那个小孩儿却再也没有来过。巨人非常想念他。

许多年过去了，巨人老了。一个冬天的早晨，巨人起床后惊奇地看见，园子最远的角落里的那棵树上开满了白花，树下站着他所爱的那个小孩子。巨人高兴地跑到小孩子身边，却发现小孩子的两只手掌和两只小脚上各有一个伤痕（hén）。他愤怒（nù）地叫道："谁伤害了你？我立刻去杀死他。"

"不！"小孩子答道，"不，没有谁伤害我。"

"那么你是谁？"巨人说。他突然

斧：axe

围墙：enclosing wall

手掌：palm

伤痕：scar

愤怒：angrily

32

有了一种奇怪的感觉，他在小孩子面前跪下来。

小孩子微笑着说："你有一回让我在你的花园里玩过，今天我要带你到我的花园里去，那就是天堂啊。"那天，孩子们看见巨人躺在树下。他已经死了，满身盖着白花。

★ 这个小孩子到底是谁？

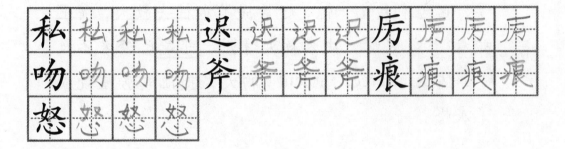

斧　　自私　　累累　　粗暴　　牌子　　到处
景象　　但愿　　角落　　冰冷　　厉害　　亲吻
围墙　　手掌　　伤痕　　愤怒　　自言自语

王老三救火（fight a fire）

王老三的邻居失火（catch fire）了。

王老三想："这是人家失火，烧人家的房屋，和我没有关系。"于是他就站在一旁看，不去帮邻居救火。

后来，火越烧越猛，很快就烧到了自已的屋子，他这才大吃一惊，赶紧提了水桶去救火，嘴里喊着："救火呀，快来救火呀！"可是已经来不及了，猛烈（fierce; violent）的大火把他的房屋烧成了灰烬。

当我再次深情地望着它时，我听见一阵接一阵的歌声："美丽的草原，我的故乡……"

11 藏[zàng]北草原

一望无际的草原，清新碧绿，平整地铺开着。星星点点的帐篷（zhàng peng），在这绿色的海洋中，好像害羞（xiū）的姑娘，用缓缓升起的丝丝轻烟遮住自己。这就是我的故乡，我深深爱着的藏北草原。

藏北的草原是温柔（róu）的。阳光下，绿绿的草地闪着迷人的色彩。最吸引人的是那雪白的羊群，羊儿在牧（mù）羊姑娘轻轻的歌声中，静静地吃着嫩草。放牧的藏族小伙子，骑在高大的马背上，奔跑着，玩耍着，说笑着……

绿色是大自然的生命，在这绿的生命中点缀着一些星星般的五颜六色的花儿，像是许多花蝴蝶在草地上飞舞。远处，一条小河像一条银色的带子，在阳光下闪闪发光。酥（sū）油

草原: grassland

一望无际: stretch as far as the eye can see

星星点点: here and there; be scattered about

帐篷: tent

❖ 比较"篷""蓬"，并组词。

害羞: bashful; shy

★ 为什么说星星点点的帐篷像害羞的姑娘？

温柔: gentle and soft

迷人: enchanting

牧羊: tend sheep

放牧: graze

藏族: the Zang nationality

小伙子: young fellow

★ 为什么说绿色是大自然的生命？

酥油茶: buttered tea

茶、青稞（kē）酒和牛肉飘散着香味，为藏北草原增添了一种清新的气息。我心中不禁赞叹：美呀！实在令人兴奋。

八月，这里要过隆重的丰收节。农民们要到田里去看看庄稼（jia），还要举办赛马、赛牛、射箭等活动。

那时，漂亮的姑娘穿上美丽的衣服，手捧洁白的哈〔hǎ〕达和珍贵的木碗，盛上满满的青稞酒，伴着甜美的歌声，为来自各地的客人们敬酒。

随着一声清脆的鞭声，赛马开始了！勇敢的小伙子们骑上自己的马，在草原上飞奔。跑在前边的小伙子，在阳光下，黑黑的脸儿、强壮的身体给人一种蓬勃的力量。看着他，你就会想到草原上高高飞翔的雄鹰。

啊！这片土地水清草茂，羊肥马壮，这里的人们勤劳好客，美丽善良。我欢呼，我兴奋，为我的故乡，为我的藏北草原。

当我再次深情地望着它时，我听见一阵接一阵的歌声："美丽的草原，我的故乡……"

（本文作者大次央，有改动）

青稞: highland barley

气息: breath; flavour

★ 他们是怎样庆祝丰收节的?

丰收: bumper harvest

庄稼: crops

哈达: a piece of silk(usu.white color) used as a greeting gift among the Zang nationality

敬酒: propose a toast

随着: along with

❧ 用"随着……"造句。

力量: strength

雄鹰: eagle

★ 你能说说藏北草原的特点吗?

❧ 用"当……时"造句。

帐				篷				羞			
柔				牧				酥			
稞				稼							

草原　　　帐篷　　　害羞　　　温柔　　　迷人　　　牧羊

放牧　　　藏族　　　青稞　　　气息　　　丰收　　　庄稼

哈达　　　敬酒　　　随着　　　力量　　　雄鹰

小伙子　　　酥油茶　　　一望无际　　　星星点点

 读一读

草原上升起不落的太阳（节选）

美丽其格

蓝蓝的天上白云飘，白云下面马儿跑。

挥动鞭儿响四方，百鸟齐飞翔。

要是有人来问我，这是什么地方？

我就骄傲地告诉他："这是我的家乡。"

每到这时，我就会来到谐(xié)趣园。在这里，我会忘记乡愁，享(xiǎng)受大自然带给我的乐趣。

乡愁: homesickness

享受: enjoy

乐趣: pleasure

12 谐趣园游记

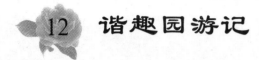

我们这些留学生，远离家乡，每天在食堂、宿舍[shè]之间跑来跑去，天天盼周末(mò)，可到了周末，一下子闲下来，心里有时却觉得空空的。每到这时，我就会来到谐趣园。在这里，我会忘记乡愁，享受大自然带给我的乐趣。

食堂: dining room

宿舍: dormitory

周末: weekend

★ 周末"我"为什么要去谐趣园？

谐趣园是颐(yí)和园的"园中园"，是中国古代园林艺术的一个宝库(kù)。这里的古代建筑和湖光山色连为一体，成为一座北国的人间天堂。

园林: garden

宝库: treasure-house

湖光山色: a beautiful scenery of lakes and mountains

北国: the North

一个夏天的周末，我又和大卫一起来到这里。我们一边沿着湖边走，一边欣赏着园中的美景。我们发现，在这片不大的水面上，竟大大小小建了七八座桥。最短的还不到两米长，而长的也不过十米多一点，小巧而可爱。

走累了，我们就在一座桥上坐下来。一个中年人走来和我们聊了起来。他问："你们知道这座桥叫什么桥吗？"

"上面写着'知鱼桥'啊。"

"'知鱼'这两个字有个有趣的典故，你们知道吗？"

我们摇摇头。

于是，他给我们讲了下面这个故事：

庄子和惠（huì）子是中国战国时期的两个了不起的哲（zhé）学家。

有一天，庄子看着水里的游鱼说："你看鱼自由地游来游去，多么快活。"

惠子问："你又不是鱼，怎么知道它们快活呢？"

庄子没有回答，却反驳道："你不是我，怎么知道我不知道鱼快活呢？"

惠子答道："我不是你，所以不知道你知不知道，而你也不是鱼，所以也不知道鱼是不是快活。"

庄子最后说："你问我怎么知道鱼快活，可见你知道我了解鱼是快活

典故：allusion; literary quotation

★那个人讲了一个什么故事？

哲学家：philosopher

快活：cheerful; happy

39

的，既然这样，又何必再问呢？"

这果然是个有趣的故事，不过我们费了好大的劲儿才弄明白它的意思。

忽然，那个中年人伸手一指说："你们看那边，鱼到底快活不快活呢？"

远远望去，湖边有人正在钓(diào)鱼。想当年，古人也曾经享受过这种乐趣。看来，无论是过去，还是现在，鱼都有不快活的时候。

离开谐趣园时，太阳早已下山了，天空渐渐蒙(méng)上一层雾色，越来越模糊，给整个园子笼上了一层神秘的色彩。

再见了，"园中园"，我们还会再来的！

既然：now that; since

何必：not necessary; why

♣ 用"何必"造句。

★ 你明白这个典故的意思了吗？

钓鱼：to fish

♣ 用"无论……都……"造句。

蒙上：to cover

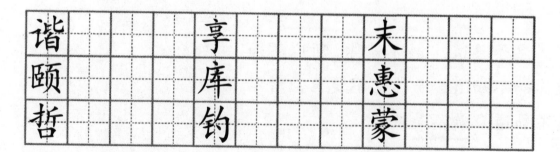

谐			享			末		
颐			库			惠		
哲			钓			蒙		

乡愁　　享受　　乐趣　　食堂　　宿舍　　周末
园林　　宝库　　北国　　典故　　快活　　既然
何必　　钓鱼　　蒙上　　哲学家　　湖光山色

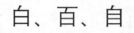

白、百、自

一年级精读课上，老师在黑板上写了一个"白"字，问："同学们，这个字读什么？"

同学们争先恐后地回答："bái。"

"在它上面加上一横，读什么呢？"

"bǎi。"

"那么，在它里面加一横呢？"

一学生抢先答道："èr bǎi。"

现在，人们已经把这三个石塔作为杭州西湖的标志了。

标志: symbol; sign

13 美丽的三潭印月

在杭州西湖的中央，有个不大的岛，岛上有三个美丽的石塔。远远望去，绿树依依，繁花似锦，绿阴中隐隐约约露出亭台楼阁（gé），真像人间仙境一样。

湖心怎么会有这样一个小岛呢？相传是宋朝大诗人苏东坡到杭州来当地方官时，发现周围的土地都干裂了。于是他发动老百姓，把西湖挖深，让它储（chǔ）存更多的湖水，用来浇灌农田。湖里挖出的泥，堆成一道长堤（dī）和一个小岛。在湖水最深的地方立了三个石塔作为深水记号，这就是现在的三潭印月。

这三个石塔造型优美、别致，都是上尖下小，中间镂（lòu）成一个空心的球，像一只宝葫芦。现在，人们已经把这三个石塔作为杭州西湖的标志了。

依依: luxuriant

繁花似锦: flowers in full bloom, brilliant as brocade

♣ 你能猜出"绿阴"的意思吗？

亭台楼阁: pavillions, terraces and towers

地方官: local official

发动: arouse; mobilize

储存: store

堤: dyke; embankment

★ 三个石塔是怎么来的？

记号: mark

别致: unique; unconventional

镂: engrave; carve

空心: hollow

可它为什么又叫"三潭印月"呢？因为每年中秋节的晚上，月亮最圆最亮的时候，正好照在湖的中心。这时候，在三个石塔里点起明亮的灯火，再把每个石塔的每一个小圆洞蒙上透明的白纸。这样，灯光倒映在湖水里，不就像一个个圆圆的月亮吗？每个小石塔有五个小圆洞，三个石塔就有十五个，十五个小圆洞就倒映出十五个这样的月亮。当天上的那轮明月倒映在这些"月亮"的正中间时，那清澈（chè）的湖水里，不就有十六个月亮了吗？

这时，明月如盘，月色溶溶，波光闪闪。成千上万的人到西湖来赏月、划船，一片欢歌笑语，这和天堂又有什么区别呢？

（选自《小郑和造船——九年义务教育六年制小学语文第五册自读课本》，有改动）

❖ 用"把……作为……"造句。

★ 这儿为什么又叫"三潭印月"？

灯火：lights

透明：transparent

倒映：be reflected invertedly in water

清澈：limpid; clear

溶溶：broad and gentle

成千上万：tens of thousands

区别：distinction; difference

堤　　　镂　　　标志　　　依依　　　发动　　　储存
记号　　　别致　　　空心　　　灯火　　　透明　　　倒映
清澈　　　溶溶　　　区别　　　地方官　　　繁花似锦
亭台楼阁　　　成千上万

笑一笑

吃麻雀

苏东坡的朋友请他喝酒，先端上了一盘红烧（braise in soy sauce）麻雀，一共四只。

同桌的一个客人，没等大家动手，就一连吃了三只，然后把剩下的一只让给苏东坡吃。

苏东坡笑着说："还是你吃了吧，也免得麻雀们散了伙。"

我看见过波澜（lán）壮阔的大海，欣赏过水平如镜的西湖，却从没看见过漓江这样的水。

波澜壮阔：surging forward with great momentum

水平如镜：the surface of the water is as placid as a mirror

14 桂（guì）林山水

人们都说："桂林山水甲天下。"我们乘着木船，漂行在漓（lí）江上，来观赏桂林的山水。

甲：first

观赏：enjoy the sight of

❀从文章中找出"观赏"的同义词。

我看见过波澜壮阔的大海，欣赏过水平如镜的西湖，却从没看见过漓江这样的水。漓江的水真静啊，静得让你感觉不到它在流动；漓江的水真清啊，清得可以看见江底的沙石；漓江的水真绿啊，绿得好像是一块无瑕（xiá）的碧玉。小船激起的微波，荡出一道道水纹，才让你感觉到船在前进，岸在后移。

流动：flow

无瑕：flawless

❀比较"瑕"与"假"，并组词。

水纹：ripple

★漓江的水有哪三个特点？

我登上过峰峦（luán）雄伟的泰（tài）山，游览过红叶似火的香山，却从没看见过桂林这一带的山。桂林的山真奇啊，一座座拔地而起，各不相连，像老人，像巨象，像骆驼，形态（tài）万千；桂林的山真秀啊，像绿色

峰峦：ridges and peaks

拔地而起：rise steeply from level ground

形态万千：multifarious in form

的屏障（zhàng），像新生的竹笋，色彩明丽，倒映水中；桂林的山真险啊，危峰怪石，好像一不小心就会倒下来。

这样的山绕着这样的水，这样的水映着这样的山，再加上空中云雾迷蒙，山间绿树红花，江上竹筏（fá）小舟，让你感到像是走进了连绵不断的画卷，真是"舟行碧波上，人在画中游"。

（本文作者陈淼，有改动）

澜				桂				漓		
瑕				峦				泰		
态				障				筏		

甲　　　观赏　　　流动　　　无瑕　　　水纹　　　峰峦

屏障　　　明丽　　　迷蒙　　　竹筏　　　画卷

波澜壮阔　　　水平如镜　　　拔地而起　　　形态万千

连绵不断

桂林山水歌（节选）

贺敬之

云中的神啊，雾中的仙，
神姿（zī, looks; posture）仙态桂林的山！

情一样深啊，梦一样美，
如情似梦漓江的水！

水几重啊，山几重？
水绕山环(huán, surround)桂林城……

是山城啊，是水城？
都在青山绿水中……

这是雪的低语，雪的浅唱，只有在这宁（níng）静的长白山的山谷里才能听见。

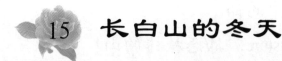

15 长白山的冬天

长白山的冬天来得真快。几天的大风雪后，天晴了，眼前是一片银色的世界。刮倒的大树全被大雪埋住了，只露出点点树枝。小动物被吓昏了头，躲在窝里不敢出来了吧？也许，也像倒在地上的树一样，被大雪埋上了？看哪，雪地上果然埋着一只雷鸟，只有脑袋露在外边。突然，它从雪中钻出来，啪（pā）啪地拍打着翅膀飞走了。雷鸟全身洁白如玉，闪着淡（dàn）淡的蓝光，除尾巴外，连半根杂色羽毛也没有！原来，它藏在雪洞里，以雪为屋，躲过了几天的暴风雪。多么聪明的雷鸟！

一场大雪，又一场大雪。

白雪落在翠绿的松树枝头，厚厚的雪衣压弯了松树美丽的腰身。山野里只能看见厚厚的柔软的雪被。

宁静: tranquil; quiet

山谷: valley

雷鸟: thunderbird

拍打: beat

淡淡: light; slight

♣用"连……也……"造句。

暴风雪: snowstorm

★雷鸟是什么样子的？它是怎样躲过暴风雪的？

翠绿: jade green

柔软: soft

48

山林里真静啊！静得能够听见沙沙的落雪声。这是雪的低语，雪的浅唱，只有在这宁静的长白山的山谷里才能听见。

大雪悄悄地停了。想不到，雪后竟是一个晴朗的月夜。一弯月牙挂在半空中，把青蓝色的光辉（huī）洒向山林。蓝蓝的天空，几颗星星闪烁（shuò）着。树影躺在雪地上，好像在淡蓝色的纸上画出的美丽的图案。松树枝头的雪衣，厚厚的，朝着月亮的一面闪着玉一般淡蓝色的光。

天渐渐亮了。松树枝经受不住雪衣的压力，微微一颤，雪团便沙的一声落下来。落雪的声音，惊醒了山谷里的鸟。两只蓝色的啄（zhuó）木鸟高叫着，飞向透明的深蓝色的天空。它们急速地转了一圈，又飞下来，躲进蓝色的山林里。

天亮了。落满大雪的山林仍是蓝色的，只是蓝得更加柔美，更加动人。

（选自《小郑和造船——九年义务教育六年制小学语文第五册自读课本》，有改动）

❖ 用"只有……才……"造句。

光辉：brilliance

❖ 比较"辉""挥"，并组词。

闪烁：twinkle; glisten

朝着：facing; towards

经受：undergo; stand

压力：pressure

惊醒：wake up with a start

啄木鸟：woodpecker

急速：rapidly

柔美：gentle and beautiful

动人：moving; stirring; affecting

宁				啪			淡				
辉				烁			啄				

宁静　　　山谷　　　雷鸟　　　拍打　　　淡淡　　　翠绿
柔软　　　光辉　　　闪烁　　　朝着　　　经受　　　压力
惊醒　　　急速　　　柔美　　　动人　　　暴风雪
啄木鸟

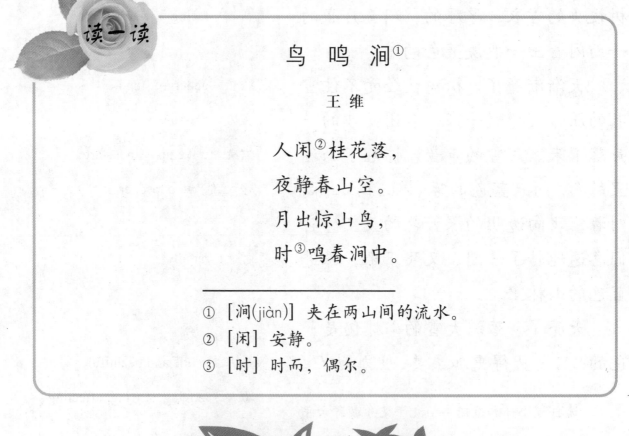

读一读

鸟 鸣 涧①

王 维

人闲②桂花落，
夜静春山空。
月出惊山鸟，
时③鸣春涧中。

_____

① [涧(jiàn)] 夹在两山间的流水。
② [闲] 安静。
③ [时] 时而，偶尔。

松鼠靠秋天收集在树洞里的松果过日子，有时候还到枝头散散步，看看春天是不是快要来了。

松果：pinecone; pine nut

16 美丽的小兴安岭

我国东北的小兴安岭，有数不清的红松、白桦、栎（lì）树……几百里连成一片，就像绿色的海洋。

春天，树木抽（chōu）出新的枝条，长出嫩绿的叶子。山上的积雪化了，雪水汇成小溪，缓缓地流着。小鹿在溪边散步。它们有的低下脑袋喝水，有的弯着身子欣赏自己在水中的影子。小溪里涨（zhǎng）满了春水。一根根原木随着流水往前走，像一支舰（jiàn）队在前进。

抽：put forth

涨满：rise; go up

原木：log

舰队：fleet

★原木是怎么运出去的？

夏天，树木密密的枝叶把森林封得严严实实的，挡住了人们的视线，遮住了蓝蓝的天空。早晨，雾从山谷里升起来，整个森林躺在乳白色的大雾里。太阳出来了，千万道金光，穿过树枝，照射在成片的草地上。草地

严严实实：completely

视线：line of vision; view

❖"躺"可以用什么替换？

乳白色：cream white

上盛开着各种各样的野花，红的、白的、黄的、紫的，真像个美丽的大花坛。

秋天，白桦和栎树的叶子变黄了，松树则显得更青翠了。秋风吹来，落叶撒满大地。这时候，森林向人们献出了又香又脆的松果，鲜嫩的蘑菇（mó gu）和木耳，还有人参 [shēn] 等名贵药材。

冬天，雪花在空中飞舞。地上积了厚厚的一层白雪，又松又软，常常没过膝（xī）盖。西北风呼呼地刮着。紫貂（diāo）和黑熊不得不躲进各自的洞里。紫貂捕到一只野兔当美味，黑熊只好用舌头舔（tiǎn）着自己又肥又厚的脚掌。松鼠靠秋天收集在树洞里的松果过日子，有时候还到枝头散散步，看看春天是不是快要来了。

小兴安岭一年四季景色迷人，是一座美丽的大花园，也是一座巨大的宝库。

（本文选自《九年义务教育五年制小学教科书·语文》第五册，有改动）

花坛：flower bed; flower terrace

♣用"显得"造句。

鲜嫩：fresh and tender

蘑菇：mushroom

木耳：an edible fungus

人参：ginseng

名贵：famous and precious

药材：medicinal materials;crude drugs

膝盖：knee

紫貂：sable

舔：lick

★冬天，森林里的动物是怎么过冬的？

★为什么说小兴安岭是一座美丽的大花园？为什么说它是一座宝库？

栎				抽				涨			
舰				蘑				菇			
膝				貂				舔			

抽　　　舔　　　松果　　涨满　　原木　　舰队
视线　　花坛　　鲜嫩　　蘑菇　　木耳　　人参
名贵　　药材　　膝盖　　紫貂　　乳白色
严严实实

猜一猜

大尾巴，尖尖嘴，
蹦蹦跳跳采松果。
夏天树上来乘凉，
冬天赶忙洞里躲。

（打一动物）

镜泊湖没有多少人工的点缀，只有高高的山石，清澈的湖水，五颜六色的野花，一望无际的森林。

 17 镜泊（pō）湖奇观

相传很久以前，牡丹江边住着一位美丽善良的姑娘。她有一面宝镜。哪里的人们有苦难[nàn]，她只要用宝镜一照，苦难马上就消失了。这件事传到天上，王母娘娘非常忌妒，就派天神偷走了宝镜。姑娘上天去要，王母娘娘不给。两个人争来争去，一不小心，宝镜就从天上掉了下来，变成了镜泊湖。

镜泊湖在黑龙江省宁安县。大约在一万年前，这里火山喷（pēn）发，堵住了牡丹江，于是水面被抬高，就形成了湖泊。

镜泊湖没有多少人工的点缀，只有高高的山石，清澈的湖水，五颜六色的野花，一望无际的森林。然而它并不单调（diào），四周峰峦连绵不断，有的直插湖中，有的远远退开，形成

人工： man-made; artificial

宝镜： valuable mirror

苦难： pain

♣"难"还有什么读音，给它组个词。

★ 传说中的镜泊湖是怎么来的？

火山： volcano

喷发： erupt

形成： come into being; take shape

湖泊： lake

★ 镜泊湖实际上是怎么形成的？

单调： monotonous; dull

水湾。这里山水辉映，美不胜收！

吊（diào）水楼瀑布是镜泊湖最有名的地方。瀑布宽43米，高25米。底下的岩石，由于上万年流水的冲击，成了几十米的深潭。清澈的湖水静静地流着，但是一碰到石壁，却猛地下落，立刻激起朵朵银花，水雾如千军万马，瀑布声几公里外都能听见，同宁静的镜泊湖形成鲜明的对照。这里地处北国，冬天有零下三四十度，但是瀑布却从来不结冰断流。

镜泊湖附近有一个地下森林。这个地下森林，实际上是长在火山口里。这里有七个火山口，其中最大的一个长约五百米，深约一百米，景色十分壮观。由于火山好长时间没有喷发，火山岩逐渐风化，同火山灰、尘土一起，形成了肥沃的土地。加上这里雨水较多，火山口的东南方向有缺口，阳光可以照进来，所以长起了茂密的森林。林中有红松、白桦、水曲柳等树木，还有许多名贵的药材。东北虎、黑熊、青羊等动物，也常到火山口活动。游客们爬上火山口向下看，黑黑的火山口好像要吞（tūn）没一切，令人心惊。可是底下的树木却

美不胜收：so many beautiful things that one simply can't take them all in

千军万马：thousands upon thousands of horses and soldiers —— a powerful army; a mighty force

对照：contrast

★ "鲜明的对照"指的是什么？

结冰：freeze

断流：dry

风化：to weather

缺口：gap; breach

吞没：swallow up; engulf

不在乎这谷底的阴暗，它们欣欣向荣，充满了活力。

不在乎：not mind; not care

阴暗：dark; gloomy

欣欣向荣：thriving; prosperous

（本文选自《九年义务教育五年制小学教科书·语文》第九册，有改动）

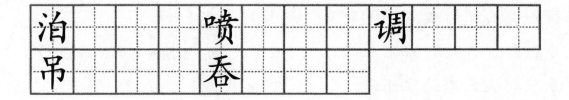

| 泊 | | | | 喷 | | | | 调 | | | | |
| 吊 | | | | 吞 | | | | | | | | |

人工　　宝镜　　苦难　　火山　　喷发　　形成

湖泊　　单调　　对照　　结冰　　断流　　风化

缺口　　吞没　　阴暗　　不在乎　　美不胜收

千军万马　　欣欣向荣

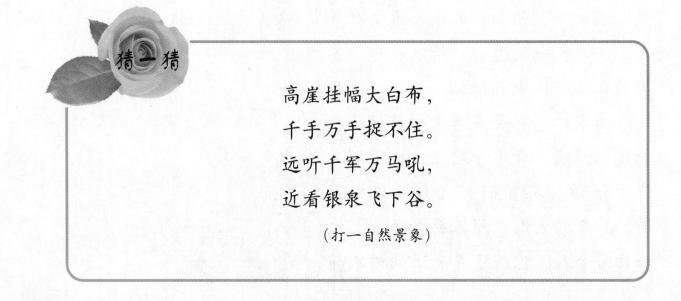

猜一猜

高崖挂幅大白布，

千手万手捉不住。

远听千军万马吼，

近看银泉飞下谷。

（打一自然景象）

水越汇越多，越流越大，流过草地，绕过高山，越过平原，终于汇成奔腾的黄河，行程五千多公里，流入大海。

18 黄河源

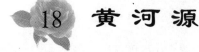

向往已久的黄河源头就要到了。马踏着松软的草地，向山顶爬去。也许你想象中的五千多米的高山一定是非常险峻（jùn）的吧，可是这里却是缓缓的斜（xié）坡。

越往上走，就越觉得好像来到了天上一样。白云一会儿在蓝蓝的天上飘舞，一会儿又在半山腰里游荡。山上的羊群裹（guǒ）在云雾之中，若隐若现，真难分辨出哪是羊群，哪是白云。记得小时候，我任性地向大人们要东西时，他们往往开玩笑说："天上的星星，你要不要？"而这会儿，我就在云雾中，好像一伸手就能摘到神秘的小星星了。

一股泉水越来越细，河道竟像我们小时候在渠边挖的小水沟，一块块

平原：plain

行程：route or distance of travel

向往：look forward to

险峻：dangerously steep; precipitous

斜坡：slope

★ 为什么我觉得好像来到了天上一样？

半山腰：halfway up a hill

游荡：loaf about

裹：wrap up

若隐若现：have an indistinct picture of; partly hidden and partly visible

任性：wilful

开玩笑：joke; make fun of

❦ "开玩笑"可以说"开某人的玩笑"或"和某人开玩笑"。试着造个句子。

神秘：mysterious

小石头就像摆在棋盘中的棋子。啊，令人向往的黄河源竟是这样有趣。我不禁跳下马来，找了一块石头，搭起了万里黄河"第一桥"。

又走了几十步，在云雾缭（liáo）绕的一大片山坡上出现了数十处清泉。泉眼里，不断冒出的水泡（pào），像珍珠一样，在阳光下闪闪发光。泉边生长着各种各样的野花，把碧绿的草坡点缀得十分鲜艳。几十条细流沿着布满奇花异草的缓坡向一起汇去……

啊！这就是黄河源头吗？捧起水，洗洗脸吧！这是多么值得纪念的呀！喝一口黄河的水吧，它是那么清，那么甜。我们几个还兴奋地打起了"水仗"，让源头之水洒遍全身。

蓝天，白云，鲜艳的花，清澈的水，源头的奇景真使人迷恋。我顺着小溪，向远处望去，好像看到水越汇越多，越流越大，流过草地，绕过高山，越过平原，终于汇成奔腾的黄河，行程五千多公里，流入大海。

❤比较"秘"和"密"，并分别组词。

★这里的"棋子"是什么意思？

缭绕：wind around

泉眼：hole of spring

水泡：bubble

珍珠：pearl

奇花异草：peculiar flowers and rare herbs

迷恋：be infatuated with

❤用"越……越……"造句。

峻				斜				襄				
缭				泡								

襄　　　　平原　　　　行程　　　　向往　　　　险峻　　　　斜坡

游荡　　　　任性　　　　神秘　　　　缭绕　　　　泉眼　　　　水泡

珍珠　　　　迷恋　　　　半山腰　　　　开玩笑　　　　若隐若现

奇花异草

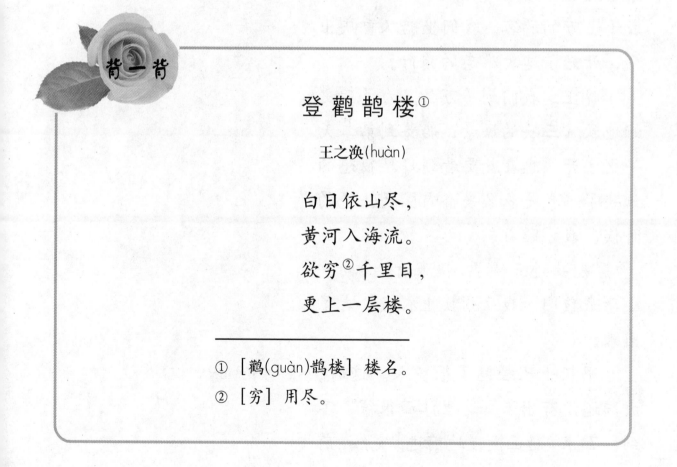

背一背

登鹳鹊楼①

王之涣(huàn)

白日依山尽，
黄河入海流。
欲穷②千里目，
更上一层楼。

————————————

① [鹳(guàn)鹊楼] 楼名。
② [穷] 用尽。

长江三峡的壮丽景色是世界闻名的……我们坐船从重庆出发，开始了这次难忘的旅行。

壮丽：magnificent

19 三峡游

长江是中国的第一大河，也是世界的三大河流之一。长江三峡的壮丽景色是世界闻名的，一年四季吸引着成千上万的游客。我们坐船从重庆出发，开始了这次难忘的旅行。

河流：river

晚上，我们到了万县。为了能更好地欣赏三峡的风景，船要到第二天早上才开。想着就要看到日思夜想的三峡了，我是多么兴奋啊！天快亮的时候，我才睡着。

"船要进三峡了，快来看！"向导小李来敲门。我立刻换上衣服，走了出来。

甲板上已经站了很多人。这时，太阳还没有出来。这里江面很窄，不到一百米。船正慢慢地前进，突然，前面出现了两座峭（qiào）壁，一左一右像是被江水推开的两扇大门，奔腾的

甲板：deck

峭壁：cliff; precipice

❖比较"峭""悄""哨"，并组词。

长江就从中间冲了出去。穿过三峡的"大门"，还可以看见远处一层一层的山峰。这是一幅多美的山水画啊！

一会儿，太阳出来了，两岸的山峰和江水都染上了一层金黄的颜色。船上的人高兴得叫了起来。再往前，江面越来越窄了。突然，一座高高的山峰挡住了去路。船眼看就要撞在峭壁上，好多人不禁惊叫起来："哎呀，危险！"但是就在这时候，船拐(guǎi)了个弯儿，山峰一下子就被甩到后边去了。

到了巫(wū)峡，山峰更高，样子更奇妙，两岸的景色也更加迷人了。站在旁边的一位老先生给我们介绍说，这里就是有名的巫山十二峰，十二峰里的"神女峰"最美。远远看去，山顶上的那块大石头就像是一位美丽的姑娘，日日夜夜站在那里。关于这座山峰，还有一个美丽的传说呢！很久很久以前，王母娘娘的女儿来这儿帮助大禹(yǔ)治水，最后又留下来为来往的船导航。一天又一天，一年又一年，她总是不顾风雨地站在那儿，天长日久就变成了现在的"神女峰"。

山水画：traditional Chinese painting of mountains and waters

★ 为什么说这是一幅美丽的山水画？

金黄：golden

惊叫：cry in fear

拐弯儿：go around curve; turn a corner

♣ 读一读：

拐了一个弯儿

向左拐了个大弯儿

神女：goddess

日日夜夜：day and night

治水：regulate rivers and watercourses

来往：coming and going

导航：navigate

天长日久：after a considerable period of time

★ 传说中的"神女峰"是怎么形成的？

午饭以后，大家又来到甲板上。三峡马上要过去了。这里的江面比上午经过的宽多了，两岸的山峰也没有那么高了，奔腾的江水开始慢下来。前面就是有名的葛(gě)洲坝(bà)工程，她是万里长江上的第一座大坝。看着那高高的大坝，回想刚刚欣赏过的美景，我不禁感叹："这里不仅有自然美，更有人间创造的奇迹。游览三峡真是一次美的享受啊！"

大坝：huge dam

回想：recollect; recall

感叹：sigh with feeling

峭				拐				巫			
禹				葛				坝			

壮丽　　河流　　甲板　　峭壁　　金黄　　惊叫
神女　　治水　　来往　　导航　　大坝　　回想
感叹　　山水画　　拐弯儿　　日日夜夜
天长日久

关于神女峰还有另外的传说。据说，从前有一个人正在江中打鱼，突然遇上了狂风暴雨，船翻了。他的妻子抱着小孩儿站在高山上盼他回来。过了一天又一天，过了一年又一年，丈夫始终（from beginning to end）没有回来，而她却依然（as before）不管早晚，不顾风雨，执着（persistently）地站在那儿等着。天长日久，她就化成了神女峰，一直站在那里等着自己的丈夫。

昆明的雨季是明亮的、丰满的、使人兴奋的。昆明的雨季是绿的。

雨季： rainy season

丰满： full-grown; plentiful

20　昆明的雨

我想念昆明的雨。

我以前不知道有所谓的雨季。"雨季"是到昆明以后才有了具体感受的。我不记得昆明的雨季有多长，从几月到几月，好像是相当长的，但是并不使人厌烦。因为是下下停停、停停下下，不是连绵不断，下起来没完，所以也并不使人气闷（mēn）。我觉得昆明的气压不低，人很舒服。

昆明的雨季是明亮的、丰满的、使人兴奋的。昆明的雨季是绿的。草木的枝叶里都吸足了水分，显得十分青翠。

雨季的果子，是杨梅。卖杨梅的都是苗族女孩子，戴一顶小花帽子，坐在人家石阶的一角，不时地吆喝（yāo he）一声："卖杨梅——"声音娇娇的。她们的声音使得昆明雨季的空气更加温和了。昆明的杨梅很大，颜

厌烦： be fed up with

气闷： fed suffocated; stuffy

水分： moisture content

★ 昆明的雨季有什么特点？

果子： fruit

杨梅： red bayberry

苗族： the Miao nationality

❧ 这里的"人家"是什么意思？

不时： frequently; often

吆喝： call; shout

色黑红黑红的，叫"火炭（tàn）梅"。这个名字起得真好，它真像烧得通红的火炭，一点儿也不酸！我吃过苏州的杨梅，也吃过井冈山的杨梅，但好像都比不上昆明的火炭梅。

雨，有时是会引起人的一点淡淡的乡愁的。我和同伴在一个雨天的早晨从学校到莲（lián）花池去。看了池里的清水，看着盛开的莲花，雨又下起来了。我们走进池边一家小酒店，要了一盘肉，半斤酒，坐了下来。雨下大了。酒店院子里有一架大木香花，把院子遮得严严的。密密的绿叶，数不清的半开的白花和饱涨的花骨朵（gū duo），都被雨水淋（lín）透了。我们走不了，就这样一直坐到午后。四十年后，我还忘不了那天的情景，写了一首诗：

莲花池外少行人，
野店苔（tái）痕一寸深。
浊（zhuó）酒一杯天过午，
木香花湿雨沉沉。

我想念昆明的雨。

（本文作者汪曾祺，有改动）

火炭：burning charcoal

通红：very red; red through and
　　　through

★ 昆明的杨梅好在哪儿？

莲花：lotus flower

花骨朵：flower bud

淋：drench; pour

苔痕：mossy trace

浊酒：unfiltered wine

★ 你能说说这首诗的意思吗？

闷			吆			炭			
莲			骨			淋			
苔			浊						

淋　　　雨季　　丰满　　厌烦　　气闷　　水分

果子　　杨梅　　苗族　　不时　　吆喝　　火炭

通红　　莲花　　苔痕　　浊酒　　花骨朵

背一背

采莲曲

王昌(chāng)龄(líng)

荷叶罗裙①一色裁②，
芙蓉③向脸两边开。
乱入池中看不见，
闻歌始觉有人来。

———————

① [罗裙 (luó qún)] 用罗织成的裙子。罗是一种丝织品。

② [裁 (cái)] 用刀、剪子等把布分开。

③ [芙蓉 (fú róng)] 荷花的别称。

因为名字是一个人的标志，它要伴随人的一生，所以中国人特别注重给孩子起名字。

21 中国人的姓名和称呼

中国人的姓出现得很早。在汉字中，"姓"字是由"女"和"生"组成的，最早的意思就是女人生孩子，像带"女"字旁的"姜(jiāng)、姚(yáo)"等都是比较早的姓。

有的姓与古代的动物崇(chóng)拜有关，如熊、龙、牛、马等；有的以古代国名、地名为姓，如宋、齐、赵、秦(qín)、陈等；有的姓与官衔(xián)或职(zhí)业有关，如司马、陶(táo)等；有的姓和植物有关，如杨、柳、叶等。

在中国，姓什么的最多呢？根据几年前的统计，"李"姓是最多的，大约占全国人口的7.9%，也就是说约有一亿(yì)人姓李。另外，姓王、张、赵的人也特别多。中国人常说"张、

伴随: go along with; follow

注重: lay stress on; pay attention to

组成: form; make up; constitute

♣用"组成"造句。

崇拜: worship; adoration

官衔: official title

♣给"衔"和"街"分别注音组词。

职业: occupation; profession

司马: Minister of War in ancient China; a surname

★中国人的姓有哪几类？

统计: statistics

人口: population

亿: a hundred million

王、李、赵遍地流（刘）"，生动地形容了这五种大姓人数之多。

说到中国人的名字，那就更加丰富多彩了。中国人起什么名一般都由祖父母或父母来决定，或者请有学问的长辈、朋友来起名。男子大多喜欢用表示勇敢、光明、强壮等的字，如龙、虎、明、健、强等。女子起名多用表示美丽、温柔的字，如美、英、花、月、琴、香等。

因为名字是一个人的标志，它要伴随人的一生，所以中国人特别注重给孩子起名字。父母们往往在孩子出生前就仔细琢磨。有的去与自己的父母商量；有的去请教有学问的长辈或朋友；有的每天翻字典或查找中国古代的诗句，希望能从中找出合适的字来。现在很多人喜欢给孩子起单名，单名的人越来越多，同名同姓的人也越来越多。比如同样叫"李华"的人，中国就有几千个。这给社会带来了许多的麻烦。

与姓名有关的是称呼。在社会交往中，直接叫名字的很少，在名字或姓的后边往往还要加上相应的称呼。这些称呼也是不断变化的。过去人们

遍地：all over; everywhere

★ "张、王、李、赵遍地流(刘)"
　这句话是什么意思？

光明：bright

字典：character dictionary
合适：suitable

★ 你觉得同名同姓会有什么麻烦？

相应：corresponding; relevant

常常互相称"同志"，现在比较常用的是在姓的后面加上"先生、小姐、女士"等，如王先生、李小姐。还有一种是在姓后面加上官衔或职业的，如张校长、王医生。熟人之间可根据年纪的大小叫老林、小孙。只有长辈、老师、熟人或领导才能直接叫对方的名字，这点和西方国家是不同的。

（选自《新编汉语教程》，有改动）

同志：(a form of address) comrade

小姐：Miss

女士：Ms.; lady; madam

熟人：acquaintance

直接：directly; straight

★ 在中国，为什么不能随便直接叫一个人的名字？

姜					姚				崇				
秦					衔				职				
陶					亿								

亿　　伴随　　注重　　组成　　崇拜　　官衔
职业　　司马　　统计　　人口　　遍地　　光明
字典　　合适　　相应　　同志　　小姐　　女士
熟人　　直接

中国的很多姓都是由两个独体字（single character）组合起来的，如"林"由两个"木"组成，"孙"由"子""小"组成。因此，向别人介绍自己时，为了让对方明白，往往把两个独体字合起来，然后说出自己的姓。如："我姓李，是木子李。""姓刘，是文刀（刂）刘。"特别是那些音同而字形不同的姓，更需要这种方法。如只说姓"zhāng"，别人不一定明白，所以常常要说是"弓长张"或"立早章"。

要想真正与中国人打好交道，首先就得了解他们的一些社交习惯。

22 与中国人打交道

许多外国人来到中国后，由于对中国的风俗习惯不大了解，经常会感到疑惑："他为什么问我这个问题？""他们为什么要这样做？"要想真正与中国人打好交道，首先就得了解他们的一些社交习惯。

外国学生到中国来，常常说："中国人很喜欢管别人的闲事。"比如路上见面，要问："你吃了吗？""你去哪儿？""你干什么去？"聊天时经常问："你今年多大了？""你家里都有什么人？""你结婚了吗？"刚到中国时，遇上这样的问话，外国学生就会想：你管这些干什么？这都是我的私事，与你有什么关系呢？其实，问话的人并不是想要干涉(shè)你的私生活，只是一种交往的习惯。像路上见面时问的问题，只不过是普通的打招呼，

打交道: come into contact with; have dealings with

了解: know; understand

♣ 用"了解"造句。

社交: social contact

♣ 试着用"疑"组成尽可能多的词。

闲事: a matter that does not concern one; other people's business

聊天: chat

干涉: interfere

私生活: private life

打招呼: say hello; greet

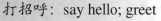

就像说："你好！""怎么样？"你可以简单回答："吃过了。""出去。""看朋友。"而聊天时问的问题，也不过是为了找出一些简单的话题，使谈话变得轻松、自然而已。你如果觉得很难回答或不想回答，也不用生气，你可以变换一下话题，改问对方"最近身体怎么样""工作顺利吗"等等。

在西方国家中，AA制相当盛行。而在中国，只有大城市的一些年轻人常常各自付钱。一般来说，如果有人说要请大家吃饭，就意味着他会为所有的人付钱。很多时候，如果有人长了工资，升了职，或者得到一笔奖金，马上会有朋友来说："得请客呀！"这个人也许会拿出更多的钱来请大家吃一顿。这样，大家高兴，他自己也高兴，因为有朋友来分享他的快乐。

（选自《粤语区人学习普通话》，有改动）

♣除了"打交道""打招呼"以外，我们还可以说"打"什么？

话题：topic of a conversation

而已：that is all; nothing more

变换：change; transform

★如果有人一见面就问你"你干什么去""你家里几口人""你每月花多少钱"等，你会怎样回答？

AA制：go Dutch

意味：mean; imply

工资：salary; pay

奖金：money award; bonus

请客：stand treat; invite sb. to dinner

分享：share

★谈谈你对中国人的请客方法和西方的AA制的看法。

了解　　　社交　　　闲事　　　聊天　　　干涉　　　话题
而已　　　变换　　　意味　　　工资　　　奖金　　　请客
分享　　　打交道　　　私生活　　　打招呼　　　AA制

张三请客

　　有一次，张三要请赵大、王二和李四吃饭。已经快到吃饭时间了，赵大和王二都来了，只有李四还没到。这时张三说："哎，该来的没来。"赵大心想："原来我们是不该来的。"他越想越生气，站起来走了。张三急了，忙追上去说："赵大，别走啊，我不是说你。"王二说："那你是说我啊！"他也站起来生气地走了。过了一会儿李四来了，他见只有张三一个人，觉得很奇怪。张三叹了一口气说："不该走的都走了。"李四想："他什么意思呀？原来我才是该走的。"张三本来是想请客，结果却把朋友都气走了。你能说说这是为什么吗？

在社交的过程中，一定要了解对方的心理、习惯、文化差异，不同国家之间更是这样。

| 对方：the other side; opposite |
| 心理：psychology; mentality |
| 文化：culture |
| 差异：difference |

 23 "重大" 发现

重大：great; important

大卫：最近我有一个"重大"发现。

小云：什么重大发现？

大卫：中国人表达谦(qiān)虚的方式和我们西方人不一样。

谦虚：modest

❖区别"谦"和"歉"，注音并组词。

小云：怎么不一样？

大卫：比如受到别人的称赞时，西方人一般都会高兴地回答："谢谢！"

小云：中国人却不好意思地说："哪里，哪里，还差得远呢。""您过奖了……"

过奖：overpraise; flatter

大卫："我的工作没做好，请您多指教！"

指教：give advice or comments

小云：你怎么也学会这种中国式的谦虚了？

大卫：我以前干事的美国公司里有一位中国人，他一见到老板就爱这么说。老板以为他真的不行，

公司：corporation; company

老板：boss

就另雇别人了。

小云：对了，我有个朋友在英国留学，也遇到过这种情况。那时他刚从中国到英国，一见导师就说自己成绩不好，希望多指教。当时导师对他很失望，怪自己运气不好，碰到一个笨学生。可是后来发现这个学生并不差，人很聪明，学得也特别好。

大卫：老板和导师都产生了同样的误会，这也难怪他俩。因为西方人习惯于尽量表现自己的优势，这样才能得到对方的赏识。中国式的表达有时会让人觉得缺乏(fá)自信。

小云：可是，在中国，这却是谦虚的表示。中国人把谦虚看成是一种美德，谦虚的人才容易获得别人的好感。当然了，如果不了解这些社交文化中的差异，不仅会产生误会，还可能闹笑话。

大卫：对，这些对我来说都太重要了。看来，在社交的过程中，一定要了解对方的心理、习惯、文化差异，不同国家之间更是

★在那家美国公司打工的中国人为什么失去了工作？

导师：tutor; teacher

失望：disappointed

运气：fortune; luck

★小云的朋友真的很笨吗？如果是你，见到导师时会怎么说？

误会：misunderstand

难怪：understandable; no wonder

优势：superiority; advantange

赏识：recognize the worth of；appreciate

缺乏：be short of; lack

自信：self-confidence

美德：virtue

好感：favourable impression；good opinion

★老板和导师为什么都会产生误会？

75

这样。

小云：是啊，你光会说汉语还不行啊，以后还要多注意一下文化方面的不同。

大卫：你说今天算不算是一个"重大"发现？

（选自《桥梁——实用汉语中级教程》，有改动）

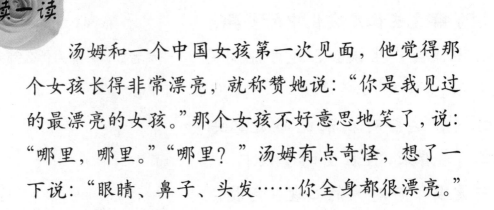

❖这里"光"的同义词是什么？

谦					乏			

对方　　心理　　文化　　差异　　重大　　谦虚
过奖　　指教　　公司　　老板　　导师　　失望
运气　　误会　　难怪　　优势　　赏识　　缺乏
自信　　美德　　好感

读一读

　　汤姆和一个中国女孩第一次见面，他觉得那个女孩长得非常漂亮，就称赞她说："你是我见过的最漂亮的女孩。"那个女孩不好意思地笑了，说："哪里，哪里。""哪里？"汤姆有点奇怪，想了一下说："眼睛、鼻子、头发……你全身都很漂亮。"

送礼是各国人民的共同习俗，是人们交往的一种需要。但是，不同的国家送礼的方式和所送的礼物却很不相同。

习俗：custom; convention

交往：association; contact

方式：way; manner

24 中国人送礼的习俗

送礼是各国人民的共同习俗，是人们交往的一种需要。但是，不同的国家送礼的方式和所送的礼物却很不相同。

在中国，新年或节假日拜访亲戚朋友时总要带点儿礼物，比如水果、点心或烟酒之类的东西。参加婚礼要送点儿实用的东西，也有送钱的。看病人要送些水果或营养品。过去中国人没有送花的习惯，最近几年由于受国外的影响，城市里的年轻人开始送花做礼物了。

点心：dessert

婚礼：wedding ceremony

营养品：nutriment

中国人送礼比较注意礼物的质(zhì)量，什么人，什么关系，送什么样的礼物，都很有讲究。除(chú)了孩子或中学生以外，一般人是不会用自己做的礼物或把自己用过的东西送人

质量：quality

除了：except

♣用"除了……以外"造句。

的。中国人认为那样做是很不礼貌(mào)的，既不尊重对方，自己也丢面子。

送礼时，中国人不是一见面就拿出礼物，而是先把礼物放在一边，问候一下主人最近的身体、工作或家庭情况，等要走的时候才把礼物送给主人。主人在接受礼物时也不像西方人那样，高兴地收下，并当场打开赞扬一番；而是要先推辞(cí)推辞，比如说"您太客气了，何必带礼物呢""你的心意我领了，但礼物不能收"等等。对于主人的推辞，客人不会认为主人不喜欢自己的礼物或看不起自己。这时候客人常常会说："东西不太好，只是表表心意。""您就收下吧，这只是我的一点儿心意。"中国人接受礼物时的推辞是对对方的尊重和有礼貌的表现。主人收下礼物后也要放在一边，而不是马上打开看看送的是什么东西。一般来说，客人也不希望主人当时就打开礼物。主人要等客人走了以后再打开，并注意以后找机会回赠对方。

（选自《新编汉语教程》，有改动）

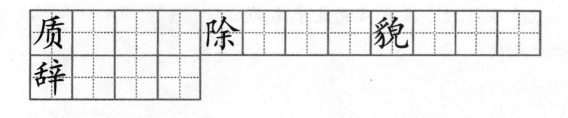

质　　　　除　　　貌
辞

习俗　　交往　　方式　　点心　　婚礼　　质量
除了　　礼貌　　尊重　　家庭　　接受　　当场
推辞　　客气　　心意　　回赠　　营养品
丢面子

读一读

您要什么礼物？

"妈妈，母亲节您要什么礼物？"三个孩子问他们的妈妈。

"我只想要三个听话（obedient）的孩子。"

"啊，"老大叫了起来，"那我们不会有六兄弟吗？"

看来，"吃"真可以说是中国的一种文化。

看来：it can be concluded; it seems

25 谈 吃

说起新年的事，第一件想起的就是吃。回忆小的时候，一到冬季，就是天天盼望过年。因为过年的时候有种种有意思的事，最主要的是吃的东西多，孩子们很喜欢。

★ 你能说说"过年"的意思吗？

中国人很讲究吃，也很好客，总是找各种借口请客。中国人请客特别重视座位的安排。一般认为靠里的座位是最好的，应该请客人坐。因此，入座的时候，主人会再三邀请客人坐里边的座位，客人也会很客气，表示礼貌。

借口：pretext; excuse

重视：pay great attention to

安排：arrangement; fix up

再三：over and over again

饭桌上一般都比较热闹。主人会不断地劝酒、布菜。特别是一道新菜上来，主人总是请客人先吃，然后自己再动筷子。有时，主人也会给客人夹菜，在客人的碗里堆满菜，以表示自己的热情。不过，客人一般不会把

❖ "劝酒""布菜"是什么意思？

夹菜：pick up food with chopsticks

菜吃完，要是那样的话，主人会很不好意思，觉得自己准备的菜不够。主人尤其会不断地请客人喝酒，千方百计地让客人多喝一些。

过年要吃，端午要吃，中秋要吃；朋友相会要吃，告别也要吃。只要取得出名字，就非吃不可。

小孩子在三顿饭以外，经常向母亲要钱买吃的。普通学生最大的消费不是上学，不是买书，而是吃。家庭中最麻烦的不是教育，而是准备食物。学校里食堂的饭菜，也是比较讲究的。

中国人吃的范（fàn）围很广，这常使别的国家的人感到吃惊。除了吃世界上普通的食物之外，也吃别国人不吃的，如果可能，恐怕连天上的月亮也要摘下来尝尝。

吃的重要，在所用的语言上也能得到证（zhèng）明。在中国，"吃"字的意义特别复杂，除了最普通的意思，有许多话要带着"吃"字来说：被人欺负叫"吃亏（kuī）"，被人打脸叫"吃耳光"。有的职业也用"吃"字来表示，做什么职业就叫"吃什么饭"，如"吃教师饭"等。

尤其：particularly; especially

相会：meet; encounter

❖用"非……不可"造句。

★这一段要说明什么意思？

范围：scope; range

恐怕：perhaps; maybe

★是真的要摘下月亮来吃吗？

证明：prove; demonstrate

❖区别"证"和"征"，组词。

欺负：bait; bully

吃亏：come into grief

吃耳光：be slapped in the face

人本来不能不吃，但吃的范围这么广泛，"吃"的意义这么复杂，全世界恐怕只有中国了。看来，"吃"真可以说中国的一种文化。

意义： sense; meaning

★ 为什么说在中国"吃"是一种文化？

范				证				亏			

看来	借口	重视	安排	再三	夹菜
尤其	相会	范围	恐怕	证明	欺负
吃亏	意义	吃耳光			

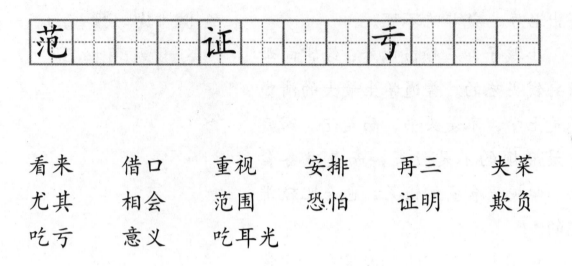

读一读

元宵和饺子

有一个人吃元宵，元宵很烫（tàng, very hot），他又很着急，结果把嗓子烫破了。后来，他在街上看见卖饺子的，就对着饺子说："你别以为戴上帽子我就不认识你了，你还想再烫破我的嗓子吗？我才不上当呢。"

春节是中国最热闹的传统节日。……人们并不因为寒冷而减少过年与迎春的热情。

传统: traditional

26 春节

春节是中国最热闹的传统节日。

一进腊月，节日的气氛就越来越浓（nóng）了。"腊七腊八，冻死寒鸦"，这是一年里最冷的时候。可是冬天过后很快便是春天，所以人们并不因为寒冷而减少过年与迎春的热情。

腊月: the twelfth month of the lunar year

浓: dense; thick; strong

在忙碌（lù）与盼望当中，春节一天一天走近了，大年三十开始向我们招手。但是，不要着急，你们家的春联贴起来了吗？这可是不能少的。

❧ 你能说出"迎春"的含义吗？

忙碌: be busy; bustle about

❧ 辨别"碌""绿"，组词。

说起春联，还有一个传说呢！东晋（jìn）时，一年除夕，大书法家王羲（xī）之曾经写下这样一幅对联：春风春雨春色，新年新岁新景。写好后，他叫儿子献之贴到了大门的两侧（cè）。没想到，刚贴出去，一会儿就不见了。原来是一个邻居酷爱他的字，平常没有机会得到，这时就偷偷

东晋: the Eastern Jin Dynasty

★ 这幅对联是什么意思?

两侧: both sides

地揭（jiē）走了。没办法，王羲之不得不重新再写一幅。但是很快又被人揭走了。这一次，他留了一个心眼儿，只贴出去这幅联的上半截：福无双至，祸不单行。来揭联的人一见这话太不吉利，就没有再揭。第二天一早，王羲之笑容满面地走出大门，补上了下半截，全联就成了：福无双至今朝至，祸不单行昨夜行。邻居们看了，无不拍手称妙。据说，这就是中国最早的春联。

春联贴起来了，大年三十也到了。不管北方南方，家家赶做年饭，处处酒肉飘香，男女老少都穿上了新衣服，每个人脸上都带着笑容。该吃年夜饭了，这是一年里全家都在的时候，不管你在外地上学还是打工，不管你离家多远，只要没有特殊情况，都要赶回家过年，吃年夜饭。这可是一家团团圆圆的好日子啊！现在，城市里还流行去饭店吃年夜饭，爸爸妈妈都干了一年了，今天就不要再忙了，休息休息吧。

吃过团圆饭，大家看晚会、打扑克、下棋、聊天，好不热闹！别忘了，该包饺子了！于是，一家人都忙活起

揭：tear off; take off

★ 邻居为什么把春联揭走了？

✿ 用"不得不"造句。

心眼儿：intelligence; cleverness

半截：half

吉利：fortunate; lucky

笑容满面：be all smiles

✿ 请给"朝"字注音，说说它的意思。

★ 这幅对联妙在哪里？

拍手称妙：clap and praise highly

男女老少：men and women, old and young

打工：hire out for work; do manual work

饭店：hotel; restaurant

晚会：evening party

扑克：playing cards; poker

✿ "好不热闹"是什么意思？

忙活：be busy with sth.

来，大家一齐动手，饺子很快就做好了。这时，新年的钟声敲响了，外边的鞭炮声也响起来了，各种各样的花炮映红了天空，新的一年来到了。

鞭炮: firecrackers

映红: flush; shine red

★ 除夕之夜人们都做些什么?

浓　羲　碌　侧　晋　揭

浓　　　揭　　　传统　　腊月　　忙碌　　东晋
两侧　　半截　　吉利　　打工　　饭店　　晚会
扑克　　忙活　　鞭炮　　映红　　心眼儿
笑容满面　　拍手称妙　　男女老少

背一背

元 日

王安石

爆竹声中一岁除①，
春风送暖入屠苏②。
千门万户瞳瞳③日，
总把新桃换旧符④。

———————————

① [除] 结束。
② [屠苏(tú sū)] 古代一种酒名。
③ [瞳(tóng)瞳] 太阳刚出来时光亮的样子。
④ [桃符] 古代在大门上挂的两块画着门神的桃木板，后来借指春联。

中秋节正是秋高气爽(shuǎng)、花好月圆的时候，所以中秋节的晚上，全家人往往团聚在一起。

秋高气爽：the autumn sky is clear and the air is bracing
花好月圆：blooming flowers and full moon
团聚：reunite; family reunion

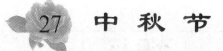

27 中秋节

农历八月十五日是秋季的正中间，所以人们把这一天叫做中秋节。在中国古代，中秋节与春节、元宵节、端午节被列为四大节日，深受人们的喜爱。

中秋节正是秋高气爽、花好月圆的时候，所以中秋节的晚上，全家人往往团聚在一起。"月到中秋分外明"，他们聊天赏月，品尝月饼，有时奶奶或妈妈还要讲些有关月亮的神话故事。

分外：especially

★说说"月到中秋分外明"的意思。

在民间，关于月亮的神话太多了，其中"嫦娥奔月"的故事流传最广。传说在远古时代，嫦娥曾经偷吃到一种"长生不老药"。她吃了这种药后，就身不由己地飘了起来，一直向月亮飘去。月亮上有一座美丽的宫殿(diàn)，叫广寒宫，嫦娥上去以后，就

远古：ancient times; remote antiquity
长生不老：live forever and never grow old
身不由己：involuntarily; in spite of oneself

❖试着用"身不由己"造句。
宫殿：palace

成了这个宫殿的主人。传说在月亮中陪伴嫦娥的还有一只玉兔。中秋的夜晚，天空晴朗，月亮又圆又亮，此时赏月，会看到一棵桂树下有一只玉兔。

中秋节的历史非常悠久。据古书记载，中国的周朝就有拜月的活动，当时实际上是一种祈（qí）求丰收的仪（yí）式。后来，中国的皇帝也在这一天拜月，表达自己的美好愿望。与此同时，赏月的风俗也出现了，这种风俗一直流传到现在。

中秋节吃月饼在唐朝就有了。月饼是按照圆月的形状做成的，里面有馅儿，又甜又香，非常好吃。圆圆的月饼也有团圆的意思，所以常常要一家人聚在一起赏月吃月饼。现在月饼的品种很多，有各种不同的馅儿，上面还印有漂亮的图案，形成各自不同的特色。

在中国人的心目中，月亮是美好、团圆的象征。"每逢佳节倍思亲"，中秋到了，多少远离家乡的人们在思念着自己的亲人啊！人们更不会忘记唐朝大诗人李白的诗句："床前明月光，疑是地上霜。举头望明月，低头

陪伴：accompany

桂树：cassia

♣区别"桂""挂"的读音，然后组词。

记载：record; put down in writing

祈求：pray for; earnestly hope

仪式：ceremony; rite

★古人为什么要拜月？

愿望：desire; wish

品种：variety; assortment

特色：characteristic; distinguishing feature

心目：memory; mind

★"每逢佳节倍思亲"这一句是什么意思？

思故乡。"但是，中国人是乐观的，对未来的生活总是充满着无限的希望，所以他们更喜爱宋朝诗人苏轼的名句："但愿人长久，千里共婵娟（chán juān）。"

乐观：optimistic; hopeful

未来：future; coming

婵娟：the moon

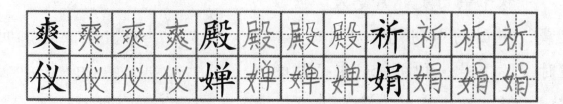

团聚　　分外　　远古　　宫殿　　陪伴　　桂树
记载　　祈求　　仪式　　愿望　　品种　　特色
心目　　乐观　　未来　　婵娟　　秋高气爽
花好月圆　　长生不老　　身不由己

背一背

望月怀远

张九龄

海上生明月，天涯①共此时。

情人怨遥夜，竟②夕起相思。

灭烛怜光满，披衣觉露③滋。

不堪④盈手赠，还寝⑤梦佳期。

────────────

① [天涯(yá)] 很远的地方。

② [竟] 整，全。

③ [露(lù)] 结在地面或物体上的水珠。

④ [不堪(kān)] 承受不了。

⑤ [寝(qǐn)] 睡觉。

照相机前，"模特儿"们做着各种各样的姿（zī）势，希望留下自己美丽的身影。

照相：take a picture

模特儿：model

姿势：posture; gesture

28 中国的照相迷

❧ 想想"照相迷、照相机、照相馆"是什么意思。

★这里的"模特儿"为什么加上引号？

"一、二、三！"在中国的名胜古迹，到处都可以听到人们这样地喊着。照相机前，"模特儿"们做着各种各样的姿势，希望留下自己美丽的身影。

我来中国以前，从没想到中国人会这么喜欢照相。我心目中的中国人是不喜欢出头露面的，他们最多也就是串串邻居，看看朋友。即便是去旅游参观，也只是看看、说说而已。可是到中国以后，情况与我想的完全不同。他们开朗，大方，愿意表现自己，这从对照相的偏爱上就可以得到证明。

出头露面：appear in public

串：go visiting sb.; call at sb.'s home; drop in

即便：even if; even though

❧ 用"而已"造句。

开朗：sanguine; cheerful

偏爱：have partiality for sth.

中国有很多照相迷。他们不但在名胜古迹照，在别的许多地方也照。照相的时候，他们的姿势好像"模特儿"那么美，看起来有意思极了。

不仅在外边照，在照相馆中也照。特别是那种婚纱照相馆，很受年轻人的喜爱。快结婚了，一对年轻人高高兴兴地来到照相馆。他们请摄影师化妆（zhuāng）、设计发型，再穿上婚纱，打扮得漂漂亮亮，然后就走进了摄影室。一个中国朋友给我看她结婚前照的相，有各种不同的服装，各种不同的姿势，放在一本相册里，非常漂亮。

中国人常常给别人看自己的照片，有时候，父母的照片也给别人看。朋友来了，倒水，喝茶，聊天，然后，如果有兴趣，就来欣赏欣赏我们的照片吧！于是，一摞（luò）一摞的相册就搬来了。一边看一边还要介绍，这是什么时间照的，那是在哪儿留的影，那又是和谁在一起。就好像在展示着这个人或这个家庭的历史。

我问中国朋友："为什么给人家看自己的照片？"她说："这是表示友好。再说，我们也希望和朋友分享快乐。"我又问："中国人照相的时候，为什么要做各种各样的姿势？不会不好意思吗？"朋友回答："怎么会不好意思呢？我们中国人希望自己看起来漂

婚纱: wedding dress

★ "婚纱照相馆"是干什么的?

摄影师: photographer

化妆: put on make-up; make up

发型: hair style; hairdo

♣ 说说"摄影室"的意思。

服装: dress; clothing

兴趣: interest; be interested in

摞: a stack of; a pile of

展示: show; demonstrate

友好: friendly; amicable

亮一些，谁都想这样，你们也一样吧？"

"百闻不如一见。"来中国以后我才明白，中国人的很多风俗习惯与我所知道的不完全相同，有些甚（shèn）至是我以前完全不知道的。如果有机会，我会更多地了解中国，了解中国的朋友们。

★ 你能说说"百闻不如一见"的意思吗？

甚至：even

♣ 试着用"甚至"造个句子。

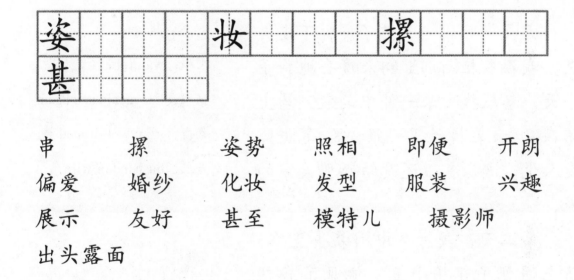

姿					妆				摞			
甚												

串　　　摞　　　姿势　　　照相　　　即便　　　开朗
偏爱　　婚纱　　化妆　　发型　　服装　　兴趣
展示　　友好　　甚至　　模特儿　　摄影师
出头露面

想一想

为 什 么

周末到了，两个爸爸和两个儿子一起去动物园。他们在动物园门口各照了一张相，然后就去里边看猴子。过了几天，照片洗出来一看，每个人照得都很自然，但一共只有三张照片。你知道这是为什么吗？

中山装相传是孙中山先生设计的，在过去可是国服啊，现在怎么没人穿了呢？难道说时代变了，人们的审美观也全变了？

中山装：Sun Yat-sen's uniform

审美观：aesthetic standards

★ 你见过中山装吗？如果见过，试着向同学们介绍一下。

29 中山装

天气一天比一天热了。脱下皮夹克，我在衣柜(guì)里翻来覆去地找了半天，忽然找出来一件中山装。马上穿在身上，在镜子里一照，嘿，笔挺！爱人说，这套衣服还是结婚那天穿的呢。

夹克：jacket

衣柜：wardrobe

翻来覆去：again and again

笔挺：trim; well-ironed

爱人：husband or wife

第二天，我身穿中山装去上班，路上遇见了邻居小王。他见了我就问："今天有什么重要活动吗？"走了不远，又看见了同事老张，"嘿，怎么穿得像人大代表似(shì)的。"我听了，心里想："为什么不能穿中山装呢？穿中山装有什么不合适的地方吗？"

同事：colleague

人大：the National People's Congress

似的：look like

♣ 用"像……似的"造句。

来到办公室，我向两位同事小姐请教。她们说："衣料不错，看着也挺精神的，就是过时了。""过时？一百

衣料：dress material

精神：impressive; smart

过时：out of fashion

多块钱一件，就结婚那天穿过一次。"
我心里一百个不服气。晚上回到家看
电视时专门看衣服：西服，夹克；夹
克，西服……怪了，就是没有中山装。

　　第二天上街，我有意站在路口观
察，希望能从行人中发现几位"中山
先生"。十分钟，没有；二十分钟，还
没有。三十分钟过去了，我终于发现
一位：头发花白，骑着一辆自行车，身
上那件中山装蓝不蓝灰不灰的，大概
已经穿了很长时间了。

　　晚上我和朋友、同事聊天：中山
装相传是孙中山先生设计的，在过去
可是国服啊，现在怎么没人穿了呢？
难道说时代变了，人们的审美观也全
变了？……最后，大家一起商量：从
明天起都穿中山装上班，看看怎么
样。

　　几天以后，同办公室的一位小姐
说："看惯了也挺顺眼的，也许你们能
带起一股服装新潮（cháo）流呢。"

（根据宝光同名文改写）

★ 听了同事的话，"我"为什么不
　服气？

西服：Western-style clothes

有意：intentionally

花白：(of hair or beard)grey

★ "我"为什么要站在街上观察？
　结果怎么样？

顺眼：pleasing to the eye

潮流：trend; fashion

❖ 给"潮""朝""嘲"注音组词。

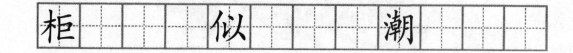

柜　　　　似　　　　潮

夹克　　　衣柜　　　笔挺　　　爱人　　　同事　　　人大
似的　　　衣料　　　精神　　　过时　　　西服　　　有意
花白　　　顺眼　　　潮流　　　中山装　　　审美观
翻来覆去

读一读

　　当年，孙中山先生觉得中国的长袍（páo，long gown）马褂（guà，mandarin jacket）穿起来太麻烦，而西方的西服洋装又太贵，于是他就自己设计了一种新式服装。这种衣服有一个小翻领（lapel），上下有四个口袋，并且下面两个是很大的明袋，以便（in order to）放书本。这种衣服好看、实用、方便。这就是后来的"中山装"，它是中国传统服装的代表之一。

在这片神奇的土地上，一座座美丽的竹楼，童话般迷人，让人不禁心驰（chí）神往。

神奇：magical; miraculous

心驰神往：let one's thought fly to
            (a place or person)

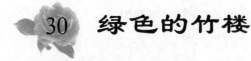 30 绿色的竹楼

这是美丽的西双版（bǎn）纳（nà）。这儿的房子很怪，不用砖，不用石，是用绿色的竹子建造的，人们叫它竹楼。在这片神奇的土地上，一座座美丽的竹楼，童话般迷人，让人不禁心驰神往。

★为什么说西双版纳的房子很怪？

竹楼是傣（dǎi）族人居住的地方。每一座竹楼前，几乎都有一个用竹子围成的小院。竹楼是悬（xuán）空的，用又粗又大的竹子支撑（chēng）着。这种特殊的造型与当地炎热、潮湿的气候有着密切的关系。而且，把竹楼架高，不但能防潮、通风，还能在楼下养牛喂猪呢！

傣族：the Dai nationality

悬空：suspend in midair

支撑：prop up; support

炎热：be burning hot

潮湿：damp; clammy

✿你能说说"防潮""通风"的
    意思吗？

说起竹楼，在傣族地区还流传着一个美丽的故事。竹楼，在傣语里是凤凰（fèng huáng）展翅的意思。传说在一个风雨天，一个傣家人正在为怎

凤凰：phoenix

✿看看下文，说说"凤凰展翅"
    的意思？

样建造一座舒适的房子而发愁，这时一只凤凰飞了过来。凤凰先张了张翅膀，暗示他建屋时应该建成人字形；接着低头拖着尾巴，暗示他要盖住人字形的两边，用来遮挡风雨；最后，凤凰双脚落地托（tuō）起身体，暗示他要分上下两层。凤凰飞走后，这个傣家人受到启（qǐ）发，建成了一座全新的竹楼。

到傣族人家中去做客，也有一定的讲究。进竹楼前，先要把鞋脱下来放在楼梯边，然后光着脚走进去。光着脚走在用竹子铺成的地板上，凉丝丝的，非常舒服。竹楼里一般有火塘，火塘旁边放着竹席（xí）。客人可以坐在竹席上，和主人聊天，谈笑。老年人手中还往往拿着一根长长的竹筒，然后把在火塘中点燃的小竹签放到竹筒（tǒng）里，慢慢地抽起来。这就是有名的"水烟筒"。

吃饭时，人们围坐在竹子编成的圆桌旁。摆在桌上的菜更是新鲜，大部分都与竹子有关。

走出竹楼，到处是绿树，鲜花，连围着竹楼的墙，都是又高又绿的仙人掌。这些鲜花和绿色，把美丽的竹楼点缀得更加迷人。

舒适：comfortable

发愁：worry; be anxious

托起：support

启发：inspire

全新：completely new

★ 这个傣家人是怎么建成竹楼的？

✤ "光着脚"是什么意思？

地板：floor board

凉丝丝：coolish

✤ 想想"水塘""池塘"的意思，你能说出"火塘"的意思吗？

✤ 读一读这些词语，想想它们的意思：竹子、竹楼、竹席、竹筒、竹签。

水烟筒：water pipe

✤ 用"与……有关"造句。

仙人掌：cactus

驰				悬				撑			
凤				凰				托			
启				席				筒			

神奇　　傣族　　悬空　　支撑　　炎热　　潮湿

凤凰　　舒适　　发愁　　托起　　启发　　全新

地板　　凉丝丝　　水烟筒　　仙人掌　　心驰神往

想一想

有一条街上同时盖了三座漂亮的大楼。第一家在门口挂了一块牌子，写着："这是全城最好的大楼。"第二家一看，也写了一块："这是全国最好的大楼。"第三家不甘示弱（unwilling to be outshone），马上写了一块。这一块后来居上（the latecomers surpass the old-timers），吸引了周围很多人。你能猜出第三家是怎么写的吗？

学会查字典，就等于有了一个天天跟你在一起的老师。你在学中文时遇到生字生词，就可以请这位老师来帮忙了。

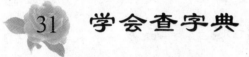

31 学会查字典

上课的时候，一遇到不认识的字或者不会写的字，我们就去问老师。可是自学的时候，出现这种情况，我们该怎么办呢？那就去问一问不会说话的老师——字典吧。

要想请教这位老师，首先得学学请教的方法——怎么查字典。汉语字典或者词典，有哪几种常见的查字方法呢？

如果你知道某个字的拼音和声调，想知道它怎么写；或者只知道某个词的发音，不知道它的意思，那么就可以用音序查字法。这就是按照汉语拼音的顺序，找出某个字的页数。这种方法，跟查英文、法文词典的方法是一样的。

我们看中文书，书上的字不可能

自学: study independently;
teach oneself

词典: dictionary; lexicon

声调: the tone of Chinese characters

发音: pronunciation

法文: French (language)

♣用"跟……一样"造句。

个个都认识。如果遇到生字，不会读，也不知道意思，就可以用"部首查字法"。什么是部首呢？汉字是由一个或几个部分组成的，有些汉字都有一个相同的部分，例如"江、河、海、淋"等都有"氵"，"树、柏（bǎi）、椅、桌"等都有"木"，"打、抱、扫（sǎo）、捡"等都有"扌"。"氵""木""扌"等就叫部首。查字的时候，先看看它是哪一部，然后找到这一部的页码，再按照除部首外剩下的笔画数去查找，就可以在这一部查到这个字了。

除了上边的两种方法以外，还有"笔画查字法"。汉字看起来虽然复杂，但是每个字都是由一定数量的笔画组成的。因此，有些字典还有"笔画查字法"。查字的时候，先数一数这个字有几笔，然后按照笔画数去查检（jiǎn）字表。这个表上列着字典里所有的汉字，笔画少的在前，笔画多的在后。在表上查到你要找的字，再看一看页数就可以找到了。

查字典主要有以上几种不同的方法，只要好好学，好好记，多练习，就一定能很快掌握。学会查字典，就等

✤ 如果你不知道"捐"这个字的读音和意思，该怎样在字典中找到它？

部首：radicals in Chinese characters

柏：cypress

扫：sweep; clean up

笔画：strokes of a Chinese character

数量：amount

★ "数量"这两个字各有多少笔画？

检字表：the table for checking Chinese characters

✤ 给"检、捡、险、验"注音组词。

掌握：master; grasp

于有了一个天天跟你在一起的老师。
你在学中文时遇到生字生词，就可以
请这位老师来帮忙了。

（选自《实用汉语课本》，有改动）

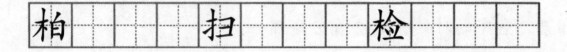

柏　　　　　扫　　　　　检

柏　　　扫　　　自学　　　词典　　　声调　　　发音
法文　　　部首　　　笔画　　　数量　　　掌握
检字表

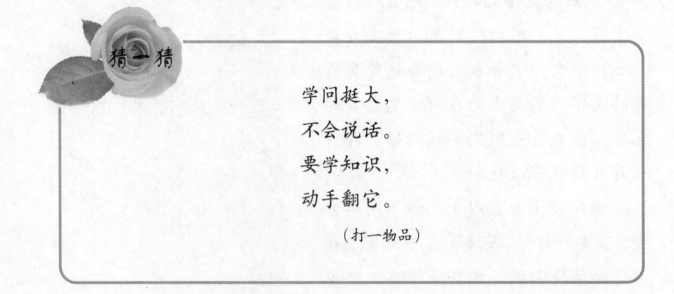

猜一猜

学问挺大，
不会说话。
要学知识，
动手翻它。

（打一物品）

语言这东西不是随便就可以学好的，非要下苦功夫不可，否（fǒu）则就会闹笑话。

否则：otherwise; or

32 学 "东西"

老师：同学们，你们知道"东西"是什么意思吗？

学生："东西"就是英语中的"thing"。桌子是东西，椅子是东西，我是东西，你是东西。

老师：不对，不对。

学生：啊，对不起，老师，你不是东西。

★ 能不能说一个人"不是东西"？

老师：这就更不对了，不能说"你不是东西"，这是骂人的话。

学生：是吗？那么你到底是不是东西？如果是东西的话，你是个什么东西？

老师：不行，不行。"你是个什么东西"也是骂人的话。

学生：哎呀！"东西"这个词太复杂了。

老师："东西"这个词多是指事物，一

般不用来指人。指人的时候是有严格（gé）限制的。在肯定句中我们一般不用，比如不能说"我哥哥是东西""刚才进来的那个同学是东西"。

学生：那表示否定的意思时就是骂人的话了，对吗？

老师：对。像刚才说的"你不是东西""你是个什么东西"就是骂人的话，有一种贬（biǎn）低、责骂的意味。有的时候再加上一些修饰（shì）语，贬低的语气就更强了，比如"你这个狗东西""他这个坏东西"等。

学生：老师，那为什么隔壁的张爷爷有时候叫我"鬼东西""小东西"呢？

老师：那就要看具体的语言环（huán）境了，这样的叫法也可以用来开玩笑或表示喜爱。比如："你这个鬼东西，老跟我调皮。""你这小东西，真叫人喜欢。"所以语言这东西不是随便就可以学好的，非要下苦功夫不可，否则就会闹笑话。

学生：老师，语言也是东西呀？

严格：strictly

限制：limit

肯定句：affirmative sentence

否定：negative

贬低：belittle; play down

责骂：scold; rebuke

修饰语：modifier

语气：tone; manner of speaking

❧ 给"贬"和"泛"注音组词。

隔壁：next door

❧ 我们学过"鬼神""捣鬼"，这里"鬼东西"中的"鬼"是什么意思？

环境：situation; circumstances

❧ 区别"环"和"坏"，组成词语。

老师：是的，语言也可以称为"东西"，但要在前面加个"这"表示强调。知识也是东西，我们可以说"我今天跟老师学了不少东西""这个人肚子里没有什么东西"。

学生：老师，"东西"这东西真是个怪东西！

（据王德春《汉语教学漫议三题》改写）

强调：emphasize; stress

★ "这个人肚子里没有什么东西"是什么意思？

否则　　严格　　限制　　否定　　贬低　　责骂

语气　　隔壁　　环境　　强调　　肯定句

修饰语

读一读

造　句

一天，汉语老师让学生用"如果""从容"和"果然"造句，有个学生很快就做完了。他的作业本上写着：①可口可乐不如果汁好喝。②做作业要从容易的做起。③我先吃水果然后吃花生。

北京话里的确有不少生动有趣的词语，它们的意思往往不能只从字面上理解。

字面：literal

33 有意思的北京话

北京是一座历史文化名城。长期以来，北京话一直具有独特的地位，甚至有人错误地认为北京话就是普通话。

最喜欢北京话的，当然是那些北京人。在他们看来，北京话永远那么亲切、好听。另外，许多外地人也喜欢北京话。他们觉得北京话发音标准，语言丰富、生动、有意思。

北京话里的确有不少生动有趣的词语，有些词的意思往往不能只从字面上理解。比如，"黄"在北京话里有时不是表示一种颜色，而是表示失败或落空，像"我们好不容易才说好的事，被他一句话说黄了"。"打鼓"字面意思是敲鼓，可是如果北京人说"第一次办这么大的事儿，我的心里直打鼓"，意思就是"害怕和心里不

长期：over a long period of time
具有：have; possess
独特：unique; distinctive

★ 为什么许多人喜欢北京话？

♣ 用"不是……而是……"造句。
落空：come to nothing; fail

♣ "树叶黄了"和"这件事黄了"中的"黄"意思一样吗？

安"。再比如，北京人说"二把刀"，不是说有两把刀，而是说一些人某方面的知识或技术不精通、不熟练，像"她开汽车是二把刀，你可得小心点儿"。还有，北京人说"露一手"，不是要把一只手露出来，而是在别人面前显示技术或才能的意思，像"今天我要露一手，给你们做几样好吃的菜"。类似这样的词语其实都已经进入了普通话。

20世纪80年代以来，北京发生了巨大的变化，北京话也变得越来越丰富、越来越有意思了。对北京话影响最大的是外来词。"可口可乐、卡拉OK、香波、T恤(xù)"等，早已进入了普通北京人的语言。青年人往往把聚会说成"开party"，跟人告别时说"bye-bye"。另外，一些最初在广州流行的词也出现在北京人的口中，如"打的[dī]"、"买单"、"炒鱿(yóu)鱼"等。

北京话在很大程度上反映了北京人的精神风貌和人文习俗。如果你身在北京，你一定会从好听的北京话里听出北京人的友好和热情！

技术: skill; technology

精通: be proficient in; master

熟练: proficient; skilled

★什么时候你的心里会"直打鼓"？
　你在哪些方面可以给大家"露一手"？

香波: shampoo

T恤: T-shirt

聚会: party

最初: originally

打的: take a taxi

买单: pay a bill

炒鱿鱼: fire

❖给"的确、打的、我的"中的"的"注音。

风貌: style and features

人文: cutural; humane

105

恓					租				鱿				

字面　　长期　　具有　　独特　　落空　　技术

精通　　熟练　　香波　　T恤　　聚会　　最初

打的　　买单　　风貌　　人文　　炒鱿鱼

笑一笑

彼（bǐ）此（each other）

　　周先生接过陈先生送给他的名片（calling card），看了一下说："东先生，你好，你好！"陈先生接过周先生的名片说："你是吉先生？"周先生听了不高兴地说："我姓周，怎么扒了我的皮，我怎么得罪（dézuì，offend）你了？"陈先生说："我姓陈，许你割我耳朵，就不许我扒你的皮？"

"你这包子狗都不理，人还能吃吗？"

34 "狗不理包子"

天津(jīn)市有一家南北闻名的卖肉包子的老店——"狗不理包子"。一看到这个名字，你一定会觉得很奇怪，为什么要叫这样一个名字呢？

据说，民国年间有一个人，家里很穷，但又很虚荣。他省吃俭(jiǎn)用，买了一套高级服装，预备着出门的时候穿。

一天，他衣冠(guān)楚楚地出门办事，恰好路过"狗不理包子"店，店里飘出肉包子的阵阵香味。他不禁朝店里望了望，咽(yàn)了一下口水。站在店门口的伙计看见了，连忙笑着说："先生，请进！"

他虽然很想吃，但因为没有多少钱，不敢进去。不过，他仍然装出有身份的人的样子，抬头瞟(piǎo)了一眼招牌，傲慢地说："你这包子狗都不理，人还能吃吗？"

包子：steamed stuffed bun

❖说一说"南北闻名"是什么意思？

民国：the Republic of China (1912—1949)

虚荣：peacockish; vain

省吃俭用：live frugally

高级：high-quality; high-grade

衣冠楚楚：be immaculately dressed

咽：swallow

伙计：shop assistant

身份：status

瞟：glance sideways at

招牌：shop sign; signboard

伙计连忙说:"先生,不是这样理解的。我们招牌的意思是,狗才不理呢,人能不吃吗? 先生,请! "

他被伙计这么一说,弄得进退两难,只好说:"既然这样,我今天有应酬(chou),下次再来吧! "说完赶紧溜走了。

同一块招牌"狗不理包子",一个说"你这包子狗都不理,人还能吃吗? "一个说"狗才不理呢,人能不吃吗? "加上不同的副词"都"和"才",意思就完全不同了。

汉语中,"都"有时表示"全部"的意思,如"大家都同意";有时表示强调,上面传说里的那个穷而爱面子的人说"狗都不理,人还能吃吗",就是强调"甚至连狗都不理这包子,人还能吃吗",意思就是人不能吃这包子。"才"有时表示"刚刚"的意思,如"他才走,你就来了";有时表示一种条件,上面传说里的那个伙计说"狗才不理呢,人能不吃吗",意思是"只有狗才不理,是人还能不吃吗? "

(选自《语法趣话》,有改动)

★他想不想吃包子? 他为什么要这么说?

理解: understand

★伙计是怎么说的? 他为什么说"狗才不理"呢?

进退两难: in a dilemma

应酬: a social engagement

副词: adverb

❖你会正确地使用副词"都"和"才"吗? 请用它们再说几个句子。

条件: condition

津			俭		冠	
咽			瞟		酬	

咽　　　瞟　　　包子　　　民国　　　虚荣　　　高级

伙计　　　身份　　　招牌　　　理解　　　应酬　　　副词

条件　　　省吃俭用　　　衣冠楚楚　　　进退两难

比一比

A 今天早上我七点才起床。
　今天早上我七点就起床了。

B 你都吃了两碗米饭了，还没吃饱呀？
　我才吃了两碗米饭，平时我一顿能吃三碗呢！

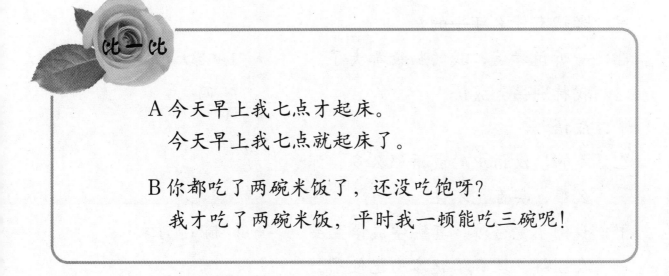

你头上的每一部分都和成语有关。……不信咱们就试试！

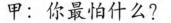

35 全身是成语

甲：你最怕什么？

乙：我最怕……考试。

甲：考试有什么可怕的？

乙：一听说考试，我的脑袋都大了。我特别怕考成语。

甲：成语？

乙：是啊！汉语中的成语那么多，那么难，实在记不住。

甲：我倒不觉得难。其实学成语主要在理解，理解了就容易记住了。

乙：理解了也记不住。我觉得成语离我们的生活太远了。

甲：说远也不远。拿你来说吧，你头上的每一部分都和成语有关。

乙：真的吗？我不信。

甲：不信咱们就试试！

乙：好！咱们从上往下说。最上边是头发——

甲：千钧(jūn)一发。

★ "脑袋都大了" 真的是 "脑袋变大了" 吗？

♣ 用 "倒" 造句。

千钧一发：a hundredweight hanging by a hair — in imminent peril

乙：这个成语什么意思？

甲：一钧就是十五公斤，"千钧一发"就是千钧重的东西系在一根头发上，比喻情况非常危急。

危急：critical; in a desperate position

乙：哦（ò），明白了。那我们接着说，头发下面是脸——

甲：愁眉苦脸。你的女朋友和你分手的时候，你一定愁眉苦脸吧。

❖"愁眉苦脸"是什么意思？

乙：嗨（hài）！你提这个干什么呀！这脸上有眼——

甲：眼高手低。你想一年学好汉语，可你这人能力太差，又不努（nǔ）力学习，这就叫眼高手低。

眼高手低：have grandiose aims but puny abilities

能力：ability

努力：make great efforts

乙：你怎么总是开我的玩笑？这眼下边是鼻子——

甲：嗤（chī）之以鼻。表示看不起。

嗤之以鼻：give a snort of contempt

乙：鼻子下面有嘴——

甲：油嘴滑舌。就是什么正经事都不干，光会说，耍嘴皮子，就跟你差不多。

油嘴滑舌：glib-tongued

正经事：serious affairs

耍嘴皮子：talk glibly

乙：这跟我有什么关系！你别老拿我举例子。脸的两边是耳朵——

❖这里的"老"可以用哪个词代替？

甲：交头接耳。就是头挨着头，在耳朵边小声说话。你考试的时候，有的题不会做，就偷偷地问同学——交头接耳。

交头接耳：speak in each other's ears; whisper to each other

挨着：be next to; get close to

乙：你看你看，又来了。

甲：别生气，我跟你开玩笑呢！汉语中的成语还真得好好琢磨琢磨呢！

❖ 读一读并说说它们的意思：

千钧一发　愁眉苦脸

眼高手低　嗤之以鼻

油嘴滑舌　交头接耳

| 钧 | | | | 哦 | | | | 嗨 | | | |
| 努 | | | | 嗤 | | | | | | | |

危急　　能力　　努力　　挨着　　正经事

千钧一发　　愁眉苦脸　　眼高手低　　嗤之以鼻

油嘴滑舌　　耍嘴皮子　　交头接耳

成语故事

郑人买履(lǚ, shoes)

从前，郑国有个人要买一双鞋，他不知道穿多大尺码(chǐ mǎ, size)的，就用一根绳子量了量自己的脚。到了集市上，他选中了一双鞋，这时才突然想起来没带那根绳子。于是他就放下鞋，回家去拿。等他再回来时，集市已经散了。有人问他："你为什么不穿上试一试呢？"他说："我宁愿相信绳子，也不相信自己的脚。"

财主没想到"给长工吃，给长工穿"和"给长工吃的，给长工穿的"不一样。

36 你要给我吃，给我穿

古代有个财主，对长工特别吝啬(lìn sè)，所以很多长工在他家干了一年就走了。有一年，财主正发愁没人为他干活。忽然，有一个年轻力壮的长工找上门来，表示愿意为他做工，其实是想捉弄他一下。

财主细细问了他过去在哪儿干活、都干过哪些活儿，然后说："你要多少工钱？我这里工钱可不能多给啊。"

长工说："你要给我吃，给我穿，每天不能少。工钱嘛，一年三两银子。"

财主想，一年工钱只要三两银子，的确很便宜，吃穿当然是主人负责，于是就同意了。

"口说无凭，要写一份合同。"长

财主: rich man; moneybags

长工: long-term hired hand

吝啬: be mean and stingy

干活: work

年轻力壮: young and vigorous

工钱: money paid for odd jobs

★ 这个长工答应给财主干活的条件是什么？

口说无凭: oral expressions can not be taken as evidence

合同: contract

工说。

"那当然！"

于是两人签了合同。那天晚上，长工就搬到财主家来住了。财主给他送去一套打满补丁的破衣服。

第二天早晨，财主等长工出去干活，结果都快中午了也没见着长工的影子。财主觉得很奇怪，跑到长工住的屋子一看，只见他正光着膀子，围着被子，半躺在床上抽烟。那套打满补丁的衣服就放在床边。

财主生气极了，大声说："都什么时候了，你还不起来干活？"

长工做出很委屈(wěi qu)的样子说："老爷，我也正着急呢。我很早就醒来了，一直等到现在。"

财主火了："你等什么？一醒了就该起床干活呀！"

长工说："老爷，我也急着要起床干活呀，可是不行。你没有按合同办，我怎么能出工呢？"

"我怎么没按合同办？这不是给你穿的了吗？"财主指着那件破衣服气呼呼地说，"吃的在厨(chú)房里，都凉了，你要起来去吃呀！"

"那可不行，合同里写的是'给长

补丁：patch

膀子：arm

抽烟：smoke (a cigarette or a pipe)

委屈：nurse a grievance; feel wronged

老爷：a respectful address to a master by a servant

♣ 这里的"火"是什么意思？

气呼呼：in a huff

厨房：kitchen

工吃，给长工穿'。我一直等你来给我穿衣服，给我喂饭吃呢！"

财主这下呆了，想不到"给长工吃，给长工穿"和"给长工吃的，给长工穿的"不一样。他没把合同写清楚，结果受到了惩罚（chéng fá）。

（改写自《语法趣话》）

★ 第二天早上，长工在干什么？他为什么不去干活？

惩罚：punish

❖ "给长工穿的"和"给长工穿"意思上有什么不同？

吝			嗇			委			
屈			厨			惩			
罚									

财主	长工	吝嗇	干活	工钱	合同
补丁	膀子	抽烟	委屈	老爷	厨房
惩罚	气呼呼	年轻力壮	口说无凭		

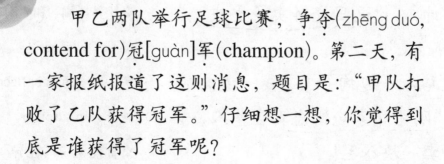

想一想

甲乙两队举行足球比赛，争夺（zhēng duó, contend for)冠[guàn]军（champion）。第二天，有一家报纸报道了这则消息，题目是："甲队打败了乙队获得冠军。"仔细想一想，你觉得到底是谁获得了冠军呢？

在汉语里，用不用量词、量词使用是否恰当关系重大。……有时，量词用得不对还会闹笑话。

恰当：proper; suitable

37 一块八毛

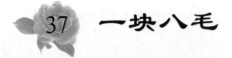

清晨，烧饼店里热气腾腾，香味扑鼻。一个过路人指着刚刚做好的烧饼问："这烧饼怎么卖？"

"一块八毛！"伙计一边干活一边回答。

烧饼：sesame seed cake

热气腾腾：astir with hot steam

扑鼻：assail the nostrils

过路人不禁吃了一惊，心想怎么烧饼又贵了，而且一下子贵了那么多：这烧饼看上去也不比以前的大多少，难道是面粉涨价了？

★过路人为什么吃惊？

面粉：flour

涨价：rise in price

他放下烧饼走了，拐了一个弯儿，来到另外一家烧饼店门前。店门口正有几个人在买饼。过路人问烧饼店的伙计："你这里烧饼卖多少钱？"

"八毛。"

掏：pull out

❖比较"掏"和"淘"，组成词语。

过路人一边掏（tāo）钱一边嘀咕（dí gu）："刚才那家烧饼店真会宰人，一块烧饼卖一块八毛！"

大家听了诧（chà）异地问："哪一

嘀咕：whisper

宰：overcharge; fleece

诧异：in surprise

❖你能说说"诧异"的同义词是什么吗？

家？”

过路人说：“就是拐弯儿过去那家。”

于是，那家烧饼店的生意清淡了好一阵子，因为周围的顾客都被吓跑了。

那家的烧饼到底卖多少钱一块呢？其实也是八毛，并没有抬高物价，只是伙计的回答"一块八毛"有歧(qí)义，让过路人产生了误会。

量词"块"用于两种名词：一是用于块状或片状的东西，如"一块蛋糕""一块布"；一是用于钱，等于"元"，"三块钱"就是"三元钱"。"一块八毛"在伙计看来是"一块（烧饼）八毛（钱）"，而过路人却理解为"一元八角"。

在汉语里，用不用量词、量词使用是否恰当关系重大。如"十个月"表示三百多天，而"十月"指一年中的第十个月份。有时，量词用得不对还会闹笑话。比如，有个外国人送给朋友一把刀，他不说"我给你一把刀"，而说"我给你一刀"。朋友吓了一跳，心想他不会是要杀了我吧。

汉语里的量词很多，它们各有不

清淡：slack

一阵子：a period of time

顾客：customer

★ "清淡了好一阵子"在句中是什么意思？

物价：price

歧义：ambiguity; different interpretations

★ "一块八毛"有哪两种意思？

月份：month

★ "我给你一刀"是什么意思？

同的使用范围。有不少量词还能使语言更生动，如"一线希望、一江春水、一轮明月"等。这些都表现了汉语词汇的丰富和严密。

（改写自《语法趣话》）

词汇：vocabulary; words and phrases
严密：precision; accuracy

掏　　宰　　恰当　　烧饼　　扑鼻　　面粉
涨价　　嘀咕　　诧异　　清淡　　顾客　　物价
歧义　　月份　　词汇　　严密　　一阵子
热气腾腾

填一填

一（　）门　　　一（　）灯

一（座）山　　　一（条）绳

一（　）井　　　一（匹）马

一（条）被子　　一（　）石头

一（　）椅子　　一（　）地图

一（只）喜鹊　　一（　）小说

只有恰当地使用修饰语，才能准确地表达自己的思想。

38 小气鬼做帽子

从前，有一个小气鬼拿了一块布，请裁缝(cái feng)做帽子。裁缝量了量布，说："只够做一顶帽子。"小气鬼怕裁缝赚(zhuàn)他的布，就问裁缝："够不够做两顶帽子？"裁缝看透了小气鬼的心思，就回答："够做！"小气鬼又问："够不够做三顶？"裁缝说："也够做。"——小气鬼就这样加了一顶又一顶，一直加到五顶，裁缝还是说："够做。"这时，小气鬼才心满意足地走了。

过了几天，小气鬼按照约定的时间来取帽子，才知道上了大当。原来这五顶帽子很小很小，只能套在五个手指头上。于是两人争吵(chǎo)起来。小气鬼让裁缝赔(péi)布，裁缝让小气鬼付工钱。两人都坚持认为自己有理。

小气鬼为什么会上当？裁缝为什

思想：thought

小气鬼：penny pincher

✿读一读，想想它们的意思：
酒鬼　烟鬼　馋鬼　小气鬼
吝啬鬼

裁缝：tailor

赚：make a profit; gain

心思：thought; idea

✿用"够"造句。

心满意足：be perfectly satisfied

★为什么小气鬼要问能不能多做几顶帽子？

争吵：quarrel

赔：compensate; pay for

★两个人为什么都觉得自己有道理？

么能钻空子呢？原因就是小气鬼问"能不能做五顶帽子"时，"帽子"前没有必要的修饰语。上了当。

　　什么是修饰语呢？比如"六十厘(lí)米的帽子"是由"六十厘米"和"帽子"组成的，"六十厘米"是用来修饰限制"帽子"的，我们把它叫做修饰语。如果小气鬼当初在"帽子"前加上这一类修饰性的词语，裁缝就钻不了空子了。

　　鲁迅在他一篇文章里曾写道："孩子长大，倘(tǎng)无才能，可寻点小事情过活，万不可去做文学家或美术家。"稿子到了编辑(jí)手里，编辑觉得很奇怪。大文学家鲁迅为什么不许自己的儿子做文学家或美术家呢？其实鲁迅厌恶[wù]的是那些名不副实的文学家或美术家，而文章里没有这些必要的修饰语。后来鲁迅加上了"空头的"三个字，才使自己的意思表达得更清楚了。

　　☆汉语中很多词前面都可以加上各种各样的修饰语。只有恰当地使用修饰语，才能准确地表达自己的思想。

（改写自《语法趣话》）

钻空子：exploit an advantage

必要：necessary

厘米：centimeter

当初：originally; at that time

倘：if

过活：make a living

编辑：editor

厌恶：be disgusted with; detest

名不副实：be unworthy of the name or the title

空头：nominal; phony

❧ 试着给"我有一本书"的"书"加上恰当的修饰语。

裁				缝				赚			
吵				赔				厘			
倘				辑							

赚　　　赔　　　倘　　　思想　　　裁缝　　　心思

争吵　　　必要　　　公分　　　当初　　　过活　　　编辑

厌恶　　　空头　　　小气鬼　　　钻空子　　　心满意足

名不副实

猜一猜

一物生得巧，
地位比人高。
戴上挡风寒，
脱下有礼貌。

（打一物）

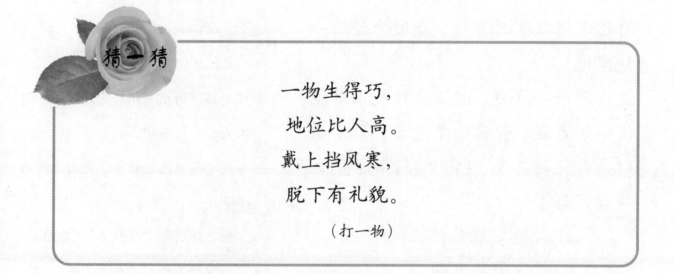

此地安能居住，

其人好不悲伤。

 39　祝枝山戏财主

明朝时，江南有一位才子叫祝枝山，他人很聪明，但喜欢恶作剧。当地有一个财主，非常迷信，常常夸耀自己之所以这么有钱，是因为住着一块宝地。

有一年年底，财主请祝枝山替他写一副春联。祝枝山拿起笔，看了看财主和他的房子，刷（shuā）刷刷，很快就写好了：

此地安能居住，

其人好不悲伤。

财主读书不多，接过春联，只见字写得龙飞凤舞，连声道谢。

祝枝山走后，财主家的账房先生对财主说："这副对联不能贴，他是在骂你呢！"

财主忙问："你这话是什么意思？"

账房先生说："'安能'就是'怎

悲伤：sad; sorrowful

才子：a gifted scholar

恶作剧：play a practical joke;
　　　　play pranks

迷信：of a superstitions belief

❖ 读一读，再试着用"之所以……是因为……"造句：

我之所以没去北京，是因为我病了。

他之所以被"炒鱿鱼"，是因为他对工作太不负责了。

龙飞凤舞：like dragons flying and phoenix dancing — lively and vigorous in calligraphy

账房先生：treasurer; accountant

能'，'此地安能居住'是说你的宝地不能居住。'好不'就是'很''非常'，说你住在这里非常悲伤呢！"

财主听了很生气，拿了春联作为证据，告到官府，说祝枝山把他连人带宝地都骂了。

官府传祝枝山。祝枝山说："这春联的确是我写的，但我没有骂人。相反，我还说他好话呢！"说完，他拿起春联，当着大家的面高声读起来：

此地安，能居住；

其人好，不悲伤。

大家听了，明明知道祝枝山是在捉弄那财主，但谁都不说，而且还暗暗称赞祝枝山的聪明呢！那财主和账房先生只好无可奈(nài)何地回家了。

（改写自《语法趣话》）

证据：evidence; proof

官府：local authorities

传：summon

相反：on the contrary

★ 这副对联有哪两种不同的解释？

无可奈何：have no alternative; have no other way

★ 阅读全文，想想标题中的"戏"是什么意思？

刷　　　　奈

传　　　悲伤　　才子　　迷信　　证据　　官府
相反　　恶作剧　　龙飞凤舞　　账房先生
无可奈何

读一读

　　有一天，小明到少年宫去玩，出来时遇到
了一个朋友。朋友问："你在里面玩得怎么
样？""很好，棒极了！"小明得意洋洋地说：
"我先打了网球，然后打了棒球。我既赢了网球
冠军，也赢了棒球冠军。""不会吧，最近你进
步这么大？"他的朋友有点不相信。"我说的是
真的。我先打了网球，赢了棒球冠军，然后又
打了棒球，赢了网球冠军。"

同样几个词，变化一下顺序，句子的意思就会发生微妙的变化，甚至完全相反了。

微妙：delicate; subtle

40 小处不可随便

中国有一位著名的大书法家。因为他很有名，他的字又很值钱，所以每天都有不少人缠(chán)着他，求他写字。有的人求了字拿去挂在墙上欣赏，也有少数人想骗了他的字去卖钱。书法家对此非常厌倦。

值钱：costly; valuable

缠：keep pestering

一次，有个人向他求字，反复说了很多倾慕和央求的话。最后居然说："随便写点什么都可以，只要能求得您几个字，我就心满意足了。"

倾慕：adoring

书法家开玩笑地说："那好，我就随便给你写几个字，你可不要见怪。"于是写下六个字：

不可随处小便

那人连声道谢，高高兴兴地拿走了。

不久，字画市场上出现了这位书

见怪：mind; take offence

随处：everywhere; anywhere

小便：urinate; pass water

法家写的一幅字，上面是：

小处不可随便

原来那人把他写的字拿回去以后，剪开来，调整了一下顺序，把一个不登大雅(yǎ)之堂的句子，变成了一句至理名言，真可以说是化平凡为神奇了。

还有一位著名的科学家，他在许多方面都有很高的成就，而且非常谦虚。有一次到国外访问，在欢迎宴(yàn)会上，主人称赞这位科学家是"中国人民的杰出的代表"。他觉得这一说法不太妥当，琢磨了一下，就回答说："说我是'中国人民的杰出的代表'，我实在不敢当，我只是'杰出的中国人民的代表'。"这个改动虽然很小，只变换了一下"杰出"的位置，但却非常巧妙，顿时赢得了大家热烈的掌声。

由此可见，语序对于汉语来说是非常重要的。同样几个词，变化一下顺序，句子的意思就会发生微妙的变化，甚至完全相反了。看来，我们也要注意"小处不可随便"。

（改写自《语法趣话》）

★ "不可随处小便"和"小处不可随便"各是什么意思？

不登大雅之堂：be unpresentable; not appeal to refined taste

♣ 给"雅"和"难"注音组词。

至理名言：famous dictum; maxim

平凡：commonplace

成就：achievement

访问：visit

宴会：banquet; feast

不敢当：I really don't deserve this; you flatter me

改动：change

★ 你能说说他的改动巧妙在哪儿吗？

位置：place; position

赢得：win

♣ 用"由此可见"造句。

缠　　　微妙　　　值钱　　　倾慕　　　见怪　　　随处
小便　　　平凡　　　成就　　　访问　　　宴会　　　改动
位置　　　赢得　　　不敢当　　　至理名言
不登大雅之堂

想一想

中国江西、湖南、四川三省的人们都以爱吃辣椒、能吃辣椒而闻名。民间流传着这样三句话：

江西人不怕辣，

湖南人辣不怕，

四川人怕不辣。

"不""怕""辣"三个字次序不同，所表达的不怕辣的程度也有细微的差别。你觉得哪个地方的人最能吃辣椒呢？

从那以后，含（hán）羞草总是默默地呆在客厅里，再也不自鸣得意了。

41 含羞草

据说，最早的时候，含羞草并不叫含羞草，而是叫得意草。因为主人常常把它种在一个精致的花盆（pén）里，然后将花盆放在客厅里供人欣赏，含羞草也就因此自我欣赏、自鸣得意起来。所以，当时的人们叫它得意草。

它为什么这样得意呢？因为它觉得自己叶子青翠，花儿淡雅，是世界上最美的花，最值得人们青睐(lài)。

主人觉得它太得意了，就想了一个主意。

有一年春天，主人把它从客厅中移出来，放到盛开的月季花旁。和月季花一比，含羞草知道自己的花和叶子太难看了，很不好意思。

夏天，主人又把它放到盛开的荷花旁。和荷花一比，含羞草看出自己

含羞草：sensitive plant

自鸣得意：show self-satisfaction

精致：fine; delicate

花盆：flowerpot

★ 人们为什么叫它得意草？

淡雅：simple and elegant

青睐：favour; good graces

★ 主人想的是什么主意呢？

月季花：Chinese rose

★ 含羞草为什么会"不好意思"？

的花和叶子都不像荷花那么美丽，感到有些羞愧。

到了秋天，主人把它放到千姿百态的菊（jú）花丛中。和那些菊花一比，含羞草明白自己太差了，真有点儿无地自容的感觉。

接着到了冬天，主人又把它放到不怕严寒的梅花树旁。和梅花一比，含羞草更是难过万分，羞愧得连头都不敢抬起来了。

看到含羞草的这种神情，主人碰碰它说："你还得意吗？"含羞草把叶子收了起来，弯下身子说："不，跟别的花相比，我太惭（cán）愧了。"

从此，人们一碰得意草，它就羞愧地收起叶子，低下自己的头。于是，不知从哪天起，人们不再叫它得意草，而是叫它含羞草了。

由于含羞草不再自鸣得意，自我欣赏，第二年，主人又把它重新放到了客厅里。从那以后，含羞草总是默默地呆在客厅里，再也不自鸣得意了。

（本文作者任裴然，有改动）

羞愧：ashamed

★含羞草为什么感到羞愧？

千姿百态：of all kinds of shapes and postures

菊花：chrysanthemum

无地自容：feel too ashamed to show one's face

❤用"和……比"造句。

惭愧：feel ashamed

★当人们碰它时，它会怎样？

❤用"不再……"造句。

129

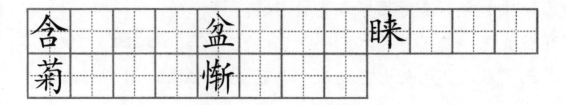

含			盆			睐			
菊			惭						

精致　　花盆　　淡雅　　青睐　　羞愧　　菊花

惭愧　　含羞草　　月季花　　自鸣得意

千姿百态　　无地自容

小　草

大树对小草说："你看画家来了，总是专心地画我，好像根本没有看到你。"

小草沉默（silent; wordless）无语。

鲜花对小草说："你看诗人来了，他从你身上走过去，而对我却不住地赞美（praise）。"

小草还是沉默不语。

小草无声地生长着。凡是有泥土的地方，就有小草的脚印。正是这些无名的小草，点缀着整个绿色的春天。

将自己对生命的爱，不停地传下去，这就是生存的快乐了。

42 有人送我一枝草

1971年的夏天，我在美国伊(yī)利州立大学(Erie State University)。

不知是到美国后的第几天了，我去找工作回来，慢慢地往住的地方走。那时候身上只剩下一点点钱，留下来是大问题，又找不着事情做，心里很茫(máng)然。穿过学校时，我低着头，走得很慢很慢。

茫然: be at a loss; perplexed
★为什么心里会感到茫然?

远远的草地上，那里半躺着一个陌(mò)生的青年，好像十分注意地看着我。我感觉到了他的目光，但是没有抬头。他站起来了，又蹲下去从草地上拿了一样什么东西，然后向我走过来。

陌生: strange; unfamiliar

❖你知道"陌生"的反义词吗?
★"他"蹲下去拿起了什么呢?

他步子迈得很大，轻轻地吹着口哨，看起来很愉快的样子。

由于不认识他，我没有停步。

一个影子挡住了去路。那个吹着口哨的青年，站在我的面前，把右手

口哨: whistle

举得高高的，手上是一棵碧绿的青草。他正向着我微笑。

"来！给你——"他将小草当作珍宝一样送给我。

我接住那棵小草，惊讶地望着，然后忍不住笑了起来。

"对，微笑，就这个样子！嗯，快乐些！"他轻轻地说。说完拍拍我的脸，摸摸我的头发，眼神送过来一丝温柔的微笑。

然后，他双手插在口袋里，潇洒地走了。

那是我到美国后第一次收到的礼物。

小草，保留了许多年，虽然我连它的名字都不知道；那位青年的脸在记忆中虽然模糊了，可是直到现在，却没有办法让我忘记。

很多年过去了，常常觉得欠（qiàn）了这位陌生青年一笔债（zhài），一笔可以归还的债：将乐观和快乐传给另一些人。将这份感激的心，化做一声道谢，一句轻轻的赞美，一个微笑，一种鼓励（lì）的眼神——送给那些似曾相识的人，那些在生活中擦肩而过的人。

★ "我"见着"他"时，"他"是什么样子？

珍宝：jewellery；treasure

保留：keep; retain

✿ 用"虽然……可是……"造句。

欠债：owe a debt

归还：return; give sth. back to

感激：feel grateful; be thankful

赞美：praise; admiration

✿ 你能给"赞美"找到一个同义词吗？

鼓励：encouraging

似曾相识：seem to have met before

擦肩而过：brush past

我热爱生活，十分热爱。虽然是平常的日子，活着仍然是美好的。这份乐观，来自那棵小草。将这份债，不停地还下去，将自己对生命的爱，不停地传下去，这就是生存的快乐了。

（本文作者三毛，有改动）

★ "我"从陌生青年的礼物中获得了什么？

伊			茫			陌		
欠			债			励		

茫然　　陌生　　口哨　　珍宝　　保留　　欠债

归还　　感激　　赞美　　鼓励　　似曾相识

擦肩而过

背一背

赋得①古原草送别

白居易

离离②原上草，一岁一枯荣。

野火烧不尽，春风吹又生。

———————————

① [赋(fù)得] 唐朝人限定题目作诗时要加上"赋得"二字。"赋"的意思就是"作诗"。

② [离离] 草茂密的样子。

通向太阳的路又陡（dǒu）又长，
得用一生的劳力去攀（pān）登。

陡：steep
攀登：climb; scale

43 太阳路

小时候，我们最猜不透的是太阳。那么一个圆盘，又红又亮，悬在空中，是什么绳儿系着它呢？有时候，我们就想，要是有一天能到太阳上去，那里一定什么都是红红的，亮亮的。我们想得入了迷，就缠着奶奶让她讲太阳的故事。

"奶奶，太阳住在什么地方呀？"
"住在金山上吧。"
"去太阳上有路吗？"
"当然有的。"
"怎么走呀？"

奶奶笑着，想了想，拉着我们来到门前的园子里。

"咱们一块儿来种园子吧。"奶奶说，"你们每人种下自己喜爱的种子，以后就什么都知道了。"

奶奶的话，我们都相信。我们松了土，施了肥，妹妹种了西红柿，弟

猜不透：can not guess right

❀试着用"要是"造个句子。

入迷：be fascinated; be enchanted

❀请给"种园子"和"种子"中的"种"注音。

松土：loosen the soil
施肥：apply fertilizer
西红柿：tomato

弟种了葵（kuí）花，我把十几颗桃核（hú）埋在地里，希望能长出一片桃林来。

从此，我们天天往园子里跑。种子居然陆陆续续地发芽（yá）了。我们大家都非常高兴。

奶奶让我们选几棵苗儿，隔五天测（cè）一次高度，插根棍儿作记号。苗儿都长得挺快，插在苗旁边的棍儿，后一根总比前一根高出一大截。

过了一个月，插到第六根，苗儿都长得很高了。

可是，这苗儿，跟去太阳的路有什么关系呢？我们一点儿也不明白，就又跑去问奶奶。奶奶笑了，她说："苗儿不正在路上走着吗？"

我们更莫名其妙了。

"傻孩子！"奶奶说，"苗儿五天长高一截，一截就是一个台阶。苗儿顺着台阶往上走，不就能走到太阳上去了吗？"

我们好像有点儿懂了。原来草呀树呀，都各自有一条去太阳的路。满世界到处都有通往太阳的路，可谁也看不见。

奶奶问我们："这条路怎么样？"

葵花：sunflower

桃核：peach-stone; peach-pit

♣用"居然"造句。

陆陆续续：constantly; one after
another

发芽：germinate; sprout

测：measure

棍儿：stick

★想一想，奶奶说的话有什么意思。

莫名其妙：be unable to make head or
tail of something

台阶：steps leading up to a house, etc.

妹妹说："这条路太陡了。"

弟弟说："这条路太长了。"

我说："这条路，谁也走不到头儿。"

奶奶说："是啊，通向太阳的路又陡又长，得用一生的努力去攀登。世界上凡是有生命的东西，都在这条路上攀登。有的走得长，有的走得短。在攀登中，西红柿会长出果实，葵花会开花结子儿，桃树会长大成林。"

我们站在暖和的太阳下，静静地听着，心里好像明白了许多。

★ "通向太阳的路"是怎样的呢?

凡是：all; any

★ 你能猜出他们"明白"了什么吗?

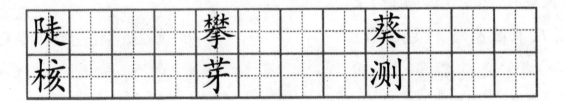

陡			攀			葵		
核			芽			测		

陡　　　测　　　攀登　　　入迷　　　松土　　　施肥

葵花　　桃核　　发芽　　棍儿　　台阶　　凡是

猜不透　　　西红柿　　　陆陆续续　　　莫名其妙

夸父追日

古代传说中有一位神人叫夸父。相传有一天，他忽然产生一个想法，要跟太阳赛跑（race），看谁跑得快。他就朝着太阳的方向一直追下去。他被太阳烤得口干舌燥（zào, the mouth is dry and the lips are parched），都有些坚持不下去了。这时候，他正好跑到了黄河和渭（wèi）水（a river）边。他张开嘴，很快就把两条河里的水喝干了。但是，他仍然非常渴，终于在追赶太阳的路上渴死了。

明天，我们在院子当中找块地，种一片小太阳吧！

当中：in the middle of

44 童心小世界

童心：innocent mind of a child

一

妈妈，月亮真馋呀，天天夜里跑到屋后的小河里偷水喝。

怎么？妈妈，你不信？真的。你看，原来河里满满的，都快叫它喝干了呢。

妈妈，我真的不骗你。你看，过去月亮扁扁的肚子，喝得像小西瓜一样圆圆的了。

你笑了，妈妈。你说，它还会慢慢吐出来的，当吐尽最后一丝月光，它便瘦死了。

噢（ō），妈妈，我知道了：月亮是个好孩子，它喝的是水，吐出的月辉变成露（lù）珠，挂在早晨的草叶上了。

二

清晨，毛茸（rōng）茸的太阳正在头上红起来。

✿试着猜猜"干"在这句话中的意思。写出"干"的另一个读音，组词。

噢：(expressing sudden realization) oh

月辉：moonbeam

露珠：dew; dewdrop

草叶：grass-blade

毛茸茸：hairy; downy

我和伙伴们跳进瓜园。忽然，一个孩子嚷起来："看呀，这里落了个太阳！"

很多人喊了起来：

"这里也落了个太阳！"

"这里也落了个太阳！"

——差不多每一片绿叶上都住着一个小太阳。

一阵风响，摇落了大片小太阳。

我在想：明天，我们在院子当中找块地，种一片小太阳吧！

三

把一个瓜抛在前面，伙伴们划着水一起去追，谁先追到谁有好运气。

太阳的脚真烫（tàng）人，把我们的后背踩得热辣（là）辣的。

我一下子扎进水里，太阳便被挡在水上了。哈哈，原来太阳不敢下水。

洗完澡，光着身子边跑边唱：

"太阳太阳你出来，

云彩云彩下东北……"

果然就从一片白云下唱出个大太阳。大家背着太阳追着，非常兴奋。

四

我从没见过那么大的扇子。

在我童年的夏夜里，奶奶总爱把

瓜园：melonyard

❧ 根据"瓜园"猜一猜"果园""菜园""花园"的意思。

差不多：almost

❧ 读一读，然后用"差不多"造句。

差不多全班同学都到齐了。

他们俩差不多一样高。

★ 太阳能"种"吗？为什么这么说？

❧ 用"谁……谁……"造句。

烫：boiling hot

后背：back

热辣辣：burning hot; scorching

云彩：cloud

背：with one's back to (the sun)

夏夜：summer night

139

那把扇子摇啊摇。

我疑心那满天的星星，还有那么多的故事，都是奶奶的扇子摇出来的。

奶奶终于把夏天扇得远远的了，把童年扇得远远的了，也把她自己扇得远远的了。

奶奶，在遥远的世界的那一边，我是永远也够不到你了……

（本文作者王士学，有删节）

★ 为什么说"把她自己扇得远远的了"？

★ 你能说说最后这一段表达的感情吗？

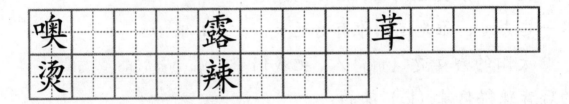

| 噢 | | | | | | 露 | | | | | 茸 | | | | |
| 烫 | | | | | | 辣 | | | | | |

噢　　烫　　背　　当中　　童心　　月辉
露珠　　草叶　　瓜园　　后背　　云彩　　夏夜
毛茸茸　　差不多　　热辣辣

救 月 亮

一个月光明媚（radiant and enchanting）的晚上，一个喝醉（zuì, drunk）酒的人走到水边。他看见水中有一个月亮，感到很伤心："可怜的月亮，你怎么掉到水里去了呢？"

于是他找来一根棍儿，想把月亮救上来。棍子正好插到水里的一个大石头底下，他一使劲儿，棍子断了，自己也一下子摔在了地上。过了一会儿，他爬起来，抬头一看，月亮高高地挂在天上。他高兴地说："我虽然摔倒了，但终于把月亮救出来了。"

远看，斗笠（lì）像个大蘑菇，是那么美。阳光照着它，雨水滋润着它，它是那么有生气。

斗笠：bamboo hat

滋润：moisten

45 金黄色的大斗笠

干干净净的蓝天上，偷偷溜来一团乌云，风推着它爬上山头。山这边，田里的庄稼，像绿海里卷来的一道道浪花。一个只穿一条短裤的男孩子，挥着一根树枝，树枝挂满绿叶，歌谣（yáo）般亲切、柔和。他看［kān］管着一只雪白的小山羊，山羊悠闲地吃着青草。

★"风推着它"中的"它"指的是什么？

歌谣：ballad

柔和：soft; gentle

看管：look after; watch

悠闲：leisurely and carefreely

风来啦！

庄稼的叶子翻过背，闪现出一片片灰绿。小山羊的毛被梳（shū）理好，又弄乱。小男孩脸上的汗珠被吹干，换上调皮的笑意。

梳理：comb

雨来啦！

乌云被太阳照得受不了，越缩越紧，于是挤下了雨。那又粗又亮的线线，似乎能数得清。

风来啦。

♣用"于是"造句。

♣你能写出"似乎"的同义词吗？

它抱住它遇到的每一棵树，用力摇，摇得叶子不停地响。

雨来啦！

它向小男孩跑来。小男孩一定很急，连鞋都不穿，光着脚就往前跑。

风来啦！雨来啦！

姐姐带着斗笠来啦！

雨，只赶上洗洗斗笠。

风，总想掀开斗笠，看看下面遮着什么。

★ 为什么风总想掀开斗笠看一看？

金黄的大斗笠下：这边，露出一条翘（qiào）起的小辫（biàn）儿；那边，露出一条抱着小山羊的滚圆的胳膊。在用斗笠临时搭成的小房子里，姐弟俩坐着，任凭雨水冲洗四只并排的光脚，脚指头还在得意地动呢。

翘起: stick up

小辫儿: pigtail

♣注意"辫"和"辨"的区别。

滚圆: perfectly round

临时: temporarily

任凭: no matter (how, what etc.)

脚指头: toe

金黄的大斗笠下还遮着笑，遮着小山羊偶尔发出的叫声，遮着姐姐和弟弟的笑语：

——姐姐，你怎么知道雨来啦？

那团乌云走过咱家窗前，我看到它的影子了。

影子: shadow

——姐姐，你怎么知道风来啦？

咱家屋后的竹林告诉我的。

★ 竹林会说话吗？为什么这样说？

——姐姐，你要不送斗笠来，哪怕晚送一会儿，我正好洗个澡。可

哪怕: even if

★ 弟弟要说"可惜"什么？

143

惜……

啪（是一只手打在另一只手上）。

——嘻嘻。

——咯咯（gē gē）。

笑声掀动金黄的大斗笠。

远看，斗笠像个大蘑菇，是那么美。阳光照着它，雨水滋润着它，它是那么有生气。

（本文作者高风，有改动）

❖ "生气"在这里是什么意思？

| 笠 | | | | 谣 | | | | 梳 | | | | |
| 翘 | | | | 辫 | | | | 咯 | | | | |

斗笠　　滋润　　歌谣　　柔和　　看管　　悠闲
梳理　　翘起　　滚圆　　临时　　任凭　　影子
哪怕　　小辫儿　　脚指头

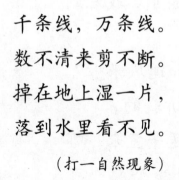

猜一猜

千条线，万条线。
数不清来剪不断。
掉在地上湿一片，
落到水里看不见。

（打一自然现象）

等我放学回到家，一眼看见桌上放着一只小花狗，脖子上系着红绸（chóu）子，绸子上挂着小铃铛（dang）……我的眼泪一下子流了出来。

46 童年的小花狗

小时候，我们家外边的街上，摆着一个小摊（tān）儿，卖些画片儿、风车、泥玩具之类的东西，既便宜又受我们小孩子欢迎。

小摊儿的主人是王大爷，就住在我家大院里。他人很随和，逢人就笑。那时候，小街上的人都不富裕（yù），王大爷赚的钱自然也不多，只能勉强生活。

王大爷手艺好，能做各种各样的泥玩具，涂上不同的颜色，非常漂亮。

那年春节前，我看中[zhòng]了他小摊儿上新做成的一只小花狗。黑白相间的小狗，脖子上系一条红绸子，绸子上挂着个小铃铛，风一吹，铃铛不住地响，小花狗就像活了一样。

我太喜欢这只小花狗了。每次路过小摊儿都反复地看，好像它也在看我，只等我一招呼，就会扑进我的怀里。那一阵子，我满脑子都是这只小花狗，只可惜没有钱把它买下来。

★ 为什么"我"满脑子都是这只小花狗？

春节一天天近了。小花狗肯定也要过节了，不知会跑到谁家，和哪个幸运的孩子一起过。一想到这些，我心里就难过，好像这只小花狗本来是我的而要被别人抢去一样。在这样的心情下，我干了一件蠢（chǔn）事。

幸运：lucky; fortunate

蠢：dull; stupid

那一天，天已经快黑了，摊儿前围着不少人。趁（chèn）着天暗人多，我伸出手，从摊儿上一把抓起小花狗，迅速放进怀里跑了。跑回院里，看看四周没人，掏出怀里的小花狗，我的心还在不停地跳。

趁着：take advantage of

迅速：rapidly

这件事很快就被爸爸发现了。他让我抱着小花狗给王大爷送回去。跟在爸爸身后，我非常害怕，头都不敢抬起来。

王大爷爱怜地看着我，坚持要把小花狗送给我。爸爸坚决不答应，说这样会惯坏了孩子。最后，王大爷只好收回小花狗，嘱（zhǔ）咐着爸爸："千万别打孩子！过年打孩子，孩子

爱怜：showing tenderness towards

嘱咐：exhort; enjoin

❖仿照这个句子，用"千万别"造句。

写出"望"的同义词。

146

一年都会不高兴的！"

过了一年，王大爷要到其他地方去。最后一天收摊儿的时候，我站在一旁，默默地望着他。他看看我，什么话也没有说，收起摊子回家了。那一天，小街上显得冷冷清清的……

第二天，王大爷走时，我去上学，没能见到他。等我放学回到家，一眼看见桌上放着一只小花狗，脖子上系着红绸子，绸子上挂着小铃铛……我的眼泪一下子流了出来。

三十多年过去了，我再也没有见过王大爷，但是那只小花狗却一直带在我的身边。

（本文作者萧复兴，有改动）

收摊儿：pack up a stall

★ 想想王大爷为什么"什么话也没有说"？

冷冷清清：desolate; cold and cheerless

★ 为什么"我的眼泪一下子流了出来"？

绸			铛				摊			
裕			蠢				趁			
嘱										

蠢　　绸子　　铃铛　　风车　　随和　　富裕
手艺　　看中　　幸运　　趁着　　迅速　　爱怜
嘱咐　　摆摊儿　　收摊儿　　冷冷清清

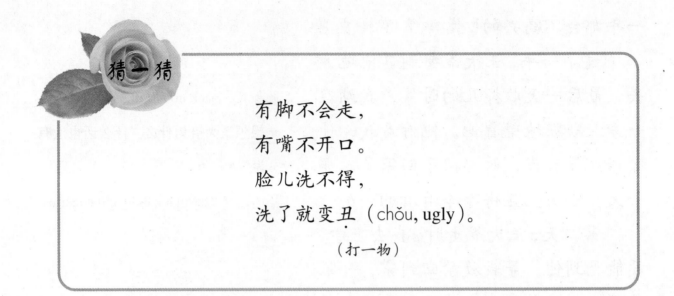

猜一猜

有脚不会走，
有嘴不开口。
脸儿洗不得，
洗了就变丑（chǒu, ugly）。

（打一物）

长大了，事也懂得多了，桌子上那几个字却不那么神气了。有时候，看着它们，就好像看着一种不光彩的记录，甚至是一种耻辱（rǔ）。

47 淘气的年龄（líng）

那是上小学四年级时，我的前排坐着一个女同学，十分瘦弱（ruò）。她年龄与我一样大，个子却比我矮一头。两条短短的小辫儿，黄黄的，细细的，看着非常可怜。

一天，上语文课，我没听老师讲课，却悄悄地玩着眼前的两条辫子，把它们拴在了这个女同学的椅子背上。正巧老师叫她回答问题，她一起身，拴住的辫子扯住了她。她痛得大叫起来。我的语文老师姓李，瘦瘦的，长着很多黑胡子；戴着一副黑边的近视眼镜，让人猜不透他的眼神。所以，我一开始见到他时，总是以为他挺凶，其实他温和极了。我平常很调皮，他都非常忍耐。他的忍耐限度比别的老师都大，很少批评我。但不知为什

光彩：glorious; honourable

记录：record

耻辱：shame; disgrace

年龄：age

瘦弱：thin and weak

眼前：before one's eyes

★你能猜出"正巧"的意思吗？

眼镜：glasses

❖区分"镜""境"，然后组词。

★为什么一开始"我"以为李老师很凶？

忍耐：forbear; endure

限度：bound; limit

么，那天他好厉害，把我一把拉到教室前，当着全班同学的面训斥(chì)起来。我一看，他真的生气了！他气得直喘，训斥完了，用手指着门，瞪(dèng)圆了眼睛，对我吼道："出去！你给我出去！"

我离开了教室，一路跑回家。这还是第一次当着大家挨骂，我的自尊心受不了。我含着眼泪，在家里的桌子上写了"李老师是狗"几个字。我写得那么痛快，好像这几个字给我报了什么"仇(chóu)"似的。这几个字就相当威风地在桌子上保留了好长时间。

在表的滴答声中，在上下课的铃声中，在雨和雪不断地敲打窗子的声音中，我长大起来。长大了，事也懂得多了，桌子上那几个字却不那么神气了。有时候，看着它们，就好像看着一种不光彩的记录，甚至是一种耻辱。有一天，带着一种说不清是对李老师，还是对长大以后再也见不到的那个瘦弱女同学的愧疚(jiù)心情，我用毛巾使劲地把这几个字抹(mǒ)了下去。

真奇怪，字儿抹掉了，好像心里

训斥: reprimand; rebuke

瞪: open one's eyes wide; stare

★ 为什么"瞪圆了眼睛"？

挨骂: be scolded

自尊心: self-respect; self-esteem

报仇: avenge; revenge

威风: impressively

★ 为什么不那么"神气"了?

愧疚: be ashamed and uneasy

抹: wipe

❖ 你能说出"抹"的同义词吗?

也干净了一些。

（本文作者冯骥才，有改动）

★ 为什么会有这种感觉？

辱				龄				弱			
斥				瞪				仇			
疚				抹							

瞪	抹	光彩	记录	耻辱	年龄
瘦弱	眼前	眼镜	忍耐	限度	训斥
挨骂	报仇	威风	愧疚	自尊心	

笑一笑

来 不 及

大卫在路上摔倒了，全身是泥地回到家里。

"你这个淘气鬼！"母亲惊讶地叫道，"穿着这么好的裤子，你怎么还摔跤（jiāo, tumble）呀！"

"原谅我，妈妈，"大卫哭着说，"我摔跤的时候来不及把裤子脱下来！"

我突然发现，一直默默不语的妈妈，眼里竟含着泪！她迅速地跑着，挥动着双手，脱口喊了出来——"写信回来，淼（miǎo）儿！"

48 小 名

大约我的出生与水有关，于是我一出生，外公便给我起名叫淼儿。在"淼儿、淼儿"的呼唤（huàn）声中，我慢慢长大了。到了要上学的年龄时，爸爸觉得应该有个体面的大名才对，便为我起了个挺大众化的名字。可家里人还是"淼儿、淼儿"地叫，特别是妈妈，叫得又响亮又频（pín）繁。

不知为什么，随着年龄的增长，再听到家里人叫我小名时竟有些不舒服了，好像有一种不被尊重的感觉。终于有一天，在听到妈妈又一声"淼儿"的呼唤后，我郑重地对她说："妈妈，我有大名。以后别再叫我小名，好吗？"然后在妈妈惊讶的表情里，我走进了自己的房间。

但妈妈总是改不了。

脱口：blurt out

淼：(of an expanse of water) vast

小名：pet name for a child

呼唤：call

体面：honourable; creditable

✤你能猜出"大名"的意思吗？

大众化：popular

✤你能给"大众化"找到一个同义词吗？

响亮：loud and clear

频繁：frequent

★为什么感到"不舒服"？

✤用"总是"造句。

那天是我16岁生日，很多同学朋友都来为我庆祝生日，家里的小客厅挤得满满的。我一边给大家分糖果，一边不停地说着谢谢。爸爸妈妈忙着在厨房里做菜。当一盘盘可口的小菜端上桌子时，一个同学将送给我的生日蛋糕拿了上来。我立刻喊着："妈妈，快拿刀子来！"

庆祝：celebrate

妈妈一边拿来刀子，一边轻轻地嘱咐："淼儿，小心点！"

zhǔ

"咦（yí）！原来你叫淼儿，挺有意思的名字！"

咦：(expressing surprise) well; why

一个同学高兴地叫着。其他人也善意地笑起来，我的脸一下子就红了。

善意：goodwill; good intentions

★为什么强调是"善意"地笑起来？

晚上，睡觉前，我推开了妈妈的房门。我又一次对妈妈说："妈妈，我不是说过嘛，别再叫我小名！"妈妈的脸上露出一种复杂的表情，看了走进来的爸爸一眼，叹了口气："对不起，高翔！"我听出，我的名字在她的口中十分生硬，似乎很绕口。

xiáng

生硬：stiff; rigid

绕口：be awkward reading

没多久，我离开家到几百公里外的一个城市里去读书。

不知怎么，妈妈竟在短短的几天内学会了很有味儿地叫我的大名。我

★"很有味儿地"是什么意思？

153

自然很高兴。

分别的那一天，爸爸妈妈一起送我去车站。火车开动的时候，我从车窗探出头去，向他们挥手告别。我突然发现，一直默默不语的妈妈，眼里竟含着泪！她迅速地跑着，挥动着双手，脱口喊了出来——

"写信回来，淼儿！"

我稍稍一愣（lèng），心里似乎被什么东西猛撞了一下，泪水禁不住流了下来。

（本文作者高翔，有改动）

车站：station

默默不语：without saying a word; silent

愣：be dumbfounded

★ "我"为什么会觉得心里似乎被什么东西猛撞了一下？

禁不住：can't help

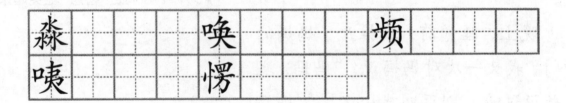

| 淼 | | | | 唤 | | | | 频 | | | |
| 唉 | | | | 愣 | | | | | | | |

淼　　唉　　愣　　脱口　　小名　　呼唤

体面　　响亮　　频繁　　庆祝　　善意　　生硬

绕口　　车站　　大众化　　禁不住　　默默不语

游 子 吟①

孟郊

慈母手中线，游子②身上衣。

临行密密缝，意恐迟迟归。

谁言寸草心，报得三春晖③。

___

① ［吟 (yín)］古诗的一种名称。

② ［游子］离家远游的人。

③ ［三春晖 (huī)］春天的阳光，这里指慈母的爱。

哎哟！这小小一方的空白是这样的神奇！它会使你看见许多想不起来的秘密；它会使你想到你可能永远也不会想到的种种事件！

49 天 窗

乡下的房子只有前面一排木板窗。天气晴朗的时候，木板窗全部打开，光线和空气就都有了。

碰着刮风下雨，或者北风呼叫的冬天，只好把木板窗关起来，屋子就黑洞洞的。

于是乡下人在屋上面开一个小方洞，装一块玻璃（bō lí），叫做天窗。

夏天雨来的时候，孩子们最喜欢在雨里跑跑跳跳，仰着脸看闪电。然而大人们偏就不允（yǔn）许，着急地喊着："快到屋里来呀！"孩子们随着木板窗的关闭也就被关在黑洞洞的屋里了；这时候，小小的天窗成了惟（wéi）一的安慰（wèi）。

从那小小的玻璃，你会看见雨在

那里不断地落下，你会看见带子似的闪电很快地划了过去；你想象到这雨、这风、这雷、这电，怎样猛烈地扫荡着这世界；你想象它们的威力比你在露天里真实感到的要大上十倍百倍。小小的天窗会使你的想象丰富起来。

晚上，当你被逼着上床去"休息"的时候，也许你还忘不了月光下的草地沙滩。你偷偷地从帐子里伸出头来，你仰起了脸，这时候，小小的天窗又是你惟一的安慰！

你会从那小玻璃上面的一颗星、一朵云，想象到无数闪闪烁烁可爱的星，无数像山似的、马似的、巨人似的奇妙的云彩；你会从那小玻璃上面闪过的一条黑影想象到这也许是灰色的蝙蝠（biān fú），也许是会唱歌的夜莺（yīng），也许是样子有点凶的猫头鹰（yīng），——总之，神奇的夜的世界的一切，立刻会在你的想象中展开。

哎哟！这小小一方的空白是这样的神奇！它会使你看见许多想不起来的秘密；它会使你想到你可能永远也不会想到的种种事件！

猛烈：violently

扫荡：attack; mop up; wipe out

威力：might; power

露天：outdoors; in the open air

★ "休息"为什么加上了引号？

帐子：bed-curtain

✤注意"帐"与"账"的区别，并用"账"组词。

蝙蝠：bat

夜莺：nightingale

猫头鹰：owl

总之：in a word; in brief

★ 你能说说这一段的主要意思吗？

我们应该感谢发明这"天窗"的人们，因为天真活泼的孩子们会知道怎样从"无"中看出"有"，从"虚"中看出"实"，比他实际所看到的更丰富、更浪漫、更充满生气！

浪漫：romantic

玻				璃				允			
惟				慰				蝙			
蝠				莺				鹰			

事件	天窗	乡下	光线	呼叫	玻璃
允许	关闭	惟一	安慰	猛烈	扫荡
威力	露天	帐子	蝙蝠	夜莺	总之
浪漫	黑洞洞	猫头鹰			

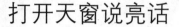

打开天窗说亮话

大卫约玛丽周末一起出去玩。玛丽有些不想去，但又不好意思直说。大卫看着她的样子，就用了一句新学的俗语（common saying），笑着说："你就打开天窗说亮话吧，到底去还是不去？"玛丽看了看四周，心想：这儿哪有天窗呀？难道不打开天窗我就不能说话了吗？那我还是别说了。其实，"打开天窗说亮话"是指说话直接，不拐弯抹角（beat about the bush），并不是真的让人打开窗子以后再说话。

聪明的你，告诉我，我们的日子为什么一去不复返呢？

一去不复返: gone for ever

50　匆（cōng）匆

匆匆: in a hurry; in haste

　　燕子去了，有再来的时候；杨柳枯（kū）了，有再绿的时候；桃花谢了，有再开的时候。但是，聪明的你，告诉我，我们的日子为什么一去不复返呢？——是有人偷了他们吧：那是谁？又藏在什么地方呢？是他们自己走了吧：现在又到了哪里呢？

枯: wither; dry up

✿你能说说"谢"的意思吗？

　　我不知道他们给了我多少日子，但我的手确实是渐渐空虚了。在默默里算着，八千多个日子已经从我手中溜走；像针尖儿上一滴水滴在海里，我的日子滴在时间的河里，没有声音，也没有影子。

空虚: empty

针尖儿: pinpoint

★为什么说"我的日子滴在时间的河里"？

　　去的尽管去了，来的尽管来着；去来的中间，又怎样地匆匆呢？早上我起来的时候，小屋里射进两三点太阳。太阳他有脚啊，轻轻地走着，我也茫茫然跟着旋转。于是——洗手的时候，日子从水盆里过去；吃饭的时

尽管: though; in despite of

茫茫然: be at a loss

旋转: rotate; circle

水盆: basin

候，日子从饭碗里过去；默默无声时，日子便从眼前悄悄地过去了。我觉察他去的匆匆了，伸出手阻（zǔ）拦时，他又从阻拦着的手边过去了。天黑时，我躺在床上，他便灵巧地从我身上跨过，从我脚边飞去了。等我睁开眼和太阳再见，这算又溜走了一日。我掩着脸叹息。但是新来的日子的影子又开始在叹息里闪过了。

　　在匆匆如飞的日子里，在千门万户的世界里，我能做些什么呢？只有徘徊（pái huái）罢（bà）了，只有匆匆罢了；在八千多日的匆匆里，除徘徊外，又剩些什么呢？过去的日子如轻烟，被微风吹散了，如薄雾，被太阳蒸化了；我留着些什么痕迹呢？我赤裸（luǒ）裸来到这世界，转眼间也将赤裸裸地回去罢？但是，我为什么偏要白白走这一回啊？

　　你聪明的，告诉我，我们的日子为什么一去不复返呢？

1922 年 3 月 28 日

（本文作者朱自清，有改动）

阻拦：stop; bar the way

❦注意"阻"和"祖""组"的区别，并各组一个词语。

灵巧：nimbly; skillfully

叹息：sigh

千门万户：innumerable households

徘徊：wander; pace up and down

罢了：that's all; nothing else

痕迹：mark; trace

赤裸裸：naked

❦"转眼间"是什么意思？

白白：in vain

★你能说说作者在这篇文章中要表达的意思吗？

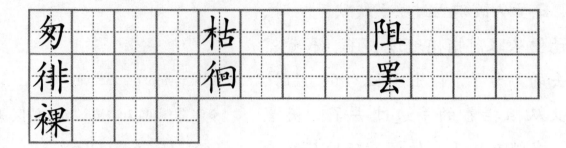

枯　　匆匆　　空虚　　尽管　　旋转　　水盆

阻拦　　灵巧　　叹息　　徘徊　　罢了　　痕迹

白白　　针尖儿　　茫茫然　　赤裸裸　　转眼间

千门万户　　一去不复返

背一背

明 日 歌

钱鹤滩

明日复明日，明日何其①多。

我生待明日，万事成蹉跎②。

世人苦被明日累③，春去秋来老将至。

朝看水东流，暮看日西坠④。

百年明日能几何⑤？请君听我明日歌。

① [何其] 多么。

② [蹉跎 (cuō tuó)] 时间白白地过去。

③ [累] 牵累。

④ [坠 (zhuì)] 落。

⑤ [几何] 多少。

最是那一低头的温柔，
　　像一朵水莲花不胜凉风的娇羞，
……

水莲花：lotus

胜：can bear

娇羞：shyness; coyness

51 短诗两首

沙扬娜（nà）拉
——赠日本女郎

最是那一低头的温柔，
　　像一朵水莲花不胜凉风的娇羞，
道一声珍重，道一声珍重，
　　那一声珍重里有蜜甜的忧愁
　　　　——沙扬娜拉！

（本诗作者徐志摩）

沙扬娜拉：日语 さよなら，goodbye

女郎：girl

★日本女郎最突出的特点是什么？

珍重：take good care of yourself

蜜甜：sweet

忧愁：sadness

★最后说"沙扬娜拉"表现了诗人
　怎样的感情？

盼　望

一个海员说，
他最喜欢的是起锚（máo）所激起的
　　那一片洁白的浪花……

一个海员说，
最使他高兴的是抛锚所发出的

海员：seaman

起锚：weigh anchor

✿比较"锚"和"描"，然后组词。

抛锚：drop anchor

✿注意"所……"的用法。

那一阵铁链(liàn)的喧哗(xuānhuá)……

一个盼望出发，
一个盼望到达。

（本诗作者艾青）

铁链：iron chain

喧哗：noise; uproar

♣ 你能说出"喧哗"的反义词吗？

到达：arrival; arrive

★ "出发"和"到达"在这首诗里
是什么意思？

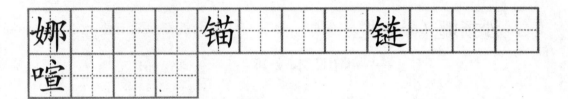

胜　　　娇羞　　　女郎　　　珍重　　　蜜甜　　　忧愁
海员　　　起锚　　　抛锚　　　铁链　　　喧哗　　　到达
水莲花　　　沙扬娜拉

读一读

断　章

卞(biàn)之琳(lín)

你站在桥上看风景，
看风景人在楼上看你。

明月装饰（decorate）了你的窗子，
你装饰了别人的梦。

春天在哪里?

春天在枝头上:

……

52 **春天在哪里**

春天在哪里?

　春天在枝头上:

春天的风微微吹动,

　柳条儿跳舞, 桃花儿脸红。

吹动: blow; waft

柳条儿: wicker; willow twig

桃花儿: peach flower

★ "跳舞" "脸红" 指的是什么?

春天在哪里?

　春天在草原上:

春天的雾轻轻细细,

　草儿醒过来, 换上绿的新衣。

★ 为什么说草儿 "醒过来"?

春天在哪里?

　春天在竹林里:

春天的雨一阵又一阵,

　竹笋从地下探出头来。

♣ 仿照 "一阵又一阵", 用其他量词
　写几个类似的短语。

★ 为什么说 "探" 出头来? 改用 "伸"
　"露" 等词怎么样?

春天在哪里?

　春天在田野里:

春天的太阳那么暖，那么亮，
　　麦青，菜花黄，蚕(cán)豆花儿香。

菜花：rape flower

蚕豆：broad bean

★ 读完这首诗，你能不能说说春天
的景色是什么样的？

（本诗作者陈伯吹）

蚕				

吹动　　菜花　　蚕豆　　柳条儿　　桃花儿

春　晓

孟浩然

春眠不觉晓，处处闻啼鸟。
夜来风雨声，花落知多少。

53 雪

轻语：whisper

下雪了。

雪很轻，雪很大。

雪是飘忽的，

像光线一样，

你捉不到它。

人们说：

北方的雪是猛烈的。

我真感觉不出。

我看北方的雪

和南方的雪

是一样的，一样温柔的，

一样叫人忘不了的。

我在雪里走着，

从没有感到寒冷。

我常常一边走，一边流汗，

汗和雪花溶在一起，

浸（jìn）醒了我的困倦的心。

我在雪里走着，

我听见了雪的轻语……

飘忽：move swiftly; fleet

★北方的雪和南方的雪真的"一样"
吗？

❤仿照诗句，用"叫"造句。

溶：melt

浸：soak

困倦：tired; weary; sleepy

雪说：

我是从天空来的，

我知道天气不会再冷；

我是到地里去的，

那里的种子等着我；

我是热的，

我是热的。

雪在半空中飞舞着，

像一个热情的女孩子：

你爱我吗？你爱我吗？

它要你回答。

★雪为什么说自己是"热"的？

半空：in midair

♣用你知道的词语描写一下雪花。

★你会怎样回答呢？

（本诗作者绿原）

浸

溶　　浸　　轻语　　飘忽　　困倦　　半空

猜一猜

一片一片又一片，

不是糖来不是面。

冬天有时满天飞，

夏天一片也不见。

（打一自然现象）

而现在
乡愁是一湾浅浅的海峡
我在这头
大陆在那头

54　乡　愁

小时候
乡愁是一枚小小的邮票
我在这头
母亲在那头

长大后
乡愁是一张窄窄的船票
我在这头
新娘在那头

后来啊
乡愁是一方矮矮的坟(fén)墓
我在外头
母亲在里头

而现在
乡愁是一湾浅浅的海峡

邮票：postage stamp

★ "邮票"和乡愁有什么联系？

船票：steamer ticket

新娘：bride

★ 为什么要把乡愁比作船票？

坟墓：tomb

❤ 读一读下边的重叠词语：

矮矮的，高高的，大大的，弯弯的。

你能再写出几个吗？

❤ 这里的"而"可以用哪些词语替换。

★ 你知道"海峡"指的是什么地方吗？

我在这头

大陆在那头

（本诗作者余光中）

坟

邮票　　船票　　新娘　　坟墓

背一背

逢入京①使

岑(cén)参

故园②东望路漫漫③，

双袖龙钟④泪不干。

马上相逢无纸笔，

凭⑤君传语报平安。

———————————

① [京] 唐朝的都城长安。

② [故园] 故乡。

③ [漫漫] 遥远。

④ [龙钟] 眼泪湿透的样子。

⑤ [凭] 托付。

诸葛亮很了解我，我还是没有诸葛亮聪明啊！

55 空城计

三国时，诸（zhū）葛亮率（shuài）领的蜀（shǔ）国军队打了败仗，不得不撤（chè）退。退到一个小城时，忽然有人来报告，魏（wèi）国的大将司马懿（yì）率领二十万大军追了上来。这时诸葛亮身边只有两千多人，能战斗的没有几个。不能打，那就逃吧。可是逃也不行，很快会被魏军追上的。诸葛亮身边的人都非常着急，他们都看着诸葛亮。诸葛亮却不慌不忙地命令：把所有的旗子都收起来，城上的士兵都撤下来，只留下几个年纪大的士兵在城楼上。另外把四个城门全都打开，每个城门派几个士兵假装成老百姓打扫街道，魏军来了我有办法对付他们。下完命令，诸葛亮就在城楼上点起香，非常悠闲地弹起琴来。

司马懿的军队来到城下，看到这种情况不敢进城，赶忙向司马懿报

率领：command; lead

败仗：defeat; lost battle

撤退：withdraw

报告：report

★ 诸葛亮为什么没有率领军队撤退？

士兵：soldier

城楼：gate tower

打扫：sweep; clean

对付：cope with; tackle; counter

告。司马懿根本不相信，于是他亲自来看，发现果真是这样。无论是诸葛亮还是在城门扫地的人，好像什么事情都没有发生。看见司马懿来了，诸葛亮在城楼上笑着请他进城。司马懿看了看诸葛亮，想了想，立刻命令军队撤退。司马懿的儿子说："会不会诸葛亮的军队少，假装成这样？父亲为什么不派军队去攻打呢？"司马懿说："诸葛亮从没冒过险。今天他大开城门，一定有埋伏。我们如果进城，肯定会吃大亏。诸葛亮可是个聪明人，你还年轻，哪里知道诸葛亮的狡猾。我们回去，不要上他的当。"

诸葛亮看到魏军退走以后笑了起来。身边的人都非常惊奇，他们问："司马懿是魏国有名的大将，今天率领二十万军队到了这里，为什么看到你以后马上就退回去了呢？"诸葛亮说："司马懿知道我一生非常谨慎(jǐn shèn)，今天看见我这样做，怀疑我们城里埋伏着军队，所以走了。我本来是不愿意这样做的，这实在是没有办法的办法啊。我们只有两千多人，如果逃跑，司马懿很快就会赶上的。"诸葛亮说完以后，马上带着军队转移了。

亲自：personally; oneself

果真：really; sure enough

❖你能用其他的词替换"果真"吗？

冒险：take a risk; take chances

埋伏：ambush

★司马懿为什么不听儿子的话？

谨慎：careful; prudent

★诸葛亮为什么敢冒险？

转移：shift; transfer

司马懿率领魏国的军队退到很远的地方，又派人回来打听情况，才知道诸葛亮根本没有埋伏，心里十分后悔。他对身边的人说："诸葛亮很了解我，我还是没有诸葛亮聪明啊！"

打听：inquire about

诸				率			蜀			
撤				魏			懿			
谨				慎						

率领　　败仗　　撤退　　报告　　士兵　　城楼
打扫　　对付　　亲自　　果真　　冒险　　埋伏
谨慎　　转移　　打听

读一读

三个臭皮匠(cobbler)，顶个诸葛亮

诸葛亮是一个非常聪明的人。但是中国人常说："三个臭皮匠，顶个诸葛亮。"意思是说，很多普通人的智慧加在一起就能超过一个特别聪明的人，所以无论做什么事，都应该多听一听大家的意见。这句话和英语中的"Two heads are better than one(两人智慧胜一人)"意思差不多。

急忙坐起来一看，原来是一个十七八岁的姑娘，长得十分漂亮。

56 聂(niè)小倩(qiàn)(上)

宁采臣，是一个年轻的读书人。一次，他到外地，住在一个庙里。他的隔壁也住着一位年轻人，他们就聊了起来。那个人姓燕，叫赤(chì)霞。两人谈了一会儿，各自回房休息去了。

读书人：an intellectual; a scholar

❖用"各自"造句。

采臣刚要睡着，忽然觉得有个人进屋来了。急忙坐起来一看，原来是一个十七八岁的姑娘，长得十分漂亮。采臣吃了一惊，问她来干什么。姑娘笑着说："今夜的月色这么好，一个人很孤独，想同你一块儿出去走走，聊聊天。"采臣板着脸说："夜深人静，不要让别人说三道四，你还是回去吧。"姑娘说："夜里没人知道。"采臣往外赶她，姑娘好像还有话说，犹犹豫豫地走了。

月色：moonlight

❖这个"板"的意思你知道吗？

夜深人静：in the quiet of night

说三道四：gossip

天快亮的时候，那姑娘又来了，对采臣说："您是个好人，我不能骗您。我叫聂小倩，十八岁那年死的，就埋在这庙附近，被妖精强迫去害人。妖精见我迷惑不了您，他要自己亲自来。"宁采臣很害怕，求小倩给想个办法。小倩说："你隔壁的燕赤霞是一个侠（xiá）客，他身上带着一件宝贝，妖精不敢靠近他。您和他住在一起就没事了。"临走的时候，小倩哭着说："希望您能收拾我的尸（shī）骨，把我带回家去安葬（zàng）。这样，就能把我从妖精手中救出来。"采臣答应了小倩的要求。

第二天，采臣要搬到燕赤霞的房间住，燕赤霞说不习惯和别人住在一起，但是采臣一再坚持，燕赤霞也就同意了。他对采臣说："但是有件事我要先告诉您，请您千万不要动我的皮口袋。"半夜，妖精果然来了。采臣吓得正要叫醒燕赤霞，忽然，有件东西从他的皮口袋里冲出来，飞到窗外，妖精就不见了。早上起来，发现窗外有很多血。采臣问燕赤霞，他说："您别害怕，我是个侠客。从口袋中飞出去的，是我的剑。所以我请您不要动皮口袋，怕伤了您。那妖精受伤逃走了。"

妖精： bogy; evil spirit

强迫： force

✿给"强迫"的"强"注音。

迷惑： trap; maze; confuse

侠客： chivalrous person

宝贝： treasured object

靠近： approach

尸骨： skeleton of a corpse

安葬： bury

★小倩向采臣提出了什么要求？

一再： time and again

✿汉语中后一个字是"然"的词语很多，如"果然""忽然"等，把你知道的这样的词语写出来。

受伤： be injured

175

过了几天，采臣要回家了。燕赤霞把放剑的皮口袋送给了采臣，说："有这个口袋在你身边，妖精就不敢靠近了。"采臣告别了燕赤霞，把小倩的尸骨挖出来，带着回到家里，安葬在自己家的旁边。

★ 燕赤霞是怎样对付妖精的？

★ 采臣带什么回家了？

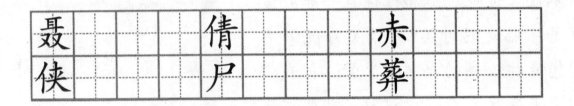

| 聂 | | | | 倩 | | | | 赤 | | | |
| 侠 | | | | 尸 | | | | 葬 | | | |

月色　　妖精　　强迫　　迷惑　　侠客　　宝贝
靠近　　尸骨　　安葬　　一再　　受伤　　读书人
夜深人静　　说三道四

读一读

画　壁

　　从前，有一个姓孟(mèng)的年轻人出去游玩，偶然来到一个庙里。庙里有一个老和尚（Buddhist monk）领着他参观。他看见墙上有一幅精美（fine）的壁画（mural），画上有很多仙女，其中一个仙女拿着花，好像在对着他微笑。他看着看着，就飘进了画里，和那个拿花的仙女见了面。两个人相爱了，不久，仙女生了一个孩子。

　　有一天，仙女慌慌张张地跑回来，说他们的事被天帝知道了，要派人来抓他。于是，仙女就把他藏了起来。过了很长时间，仙女一直没有回来。这时听见有人叫他，是那个老和尚的声音。他觉得自己飘了起来，又回到庙里，站在壁画前。一切都好像一场梦一样，只是画上的仙女，已经不再拿着花，而是抱着一个孩子，向着他微笑。

忽然，皮口袋里伸出一只大手，把妖精抓了进去。

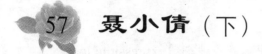

57 聂小倩（下）

采臣把小倩的尸骨安葬在家旁边。晚上，小倩高高兴兴地来到采臣家，向他表示感谢。采臣的母亲听说儿子带回一个女鬼，很害怕。但是一见到小倩，看见她那么美丽温柔，就放心了，让她跟自己一起住。小倩非常勤劳，家里家外忙个不停，采臣的母亲再也不用为家务事操心了。小倩刚来的时候，不能吃人间的东西，半年以后，渐渐能喝些稀粥了，采臣和母亲居然不觉得小倩是鬼了。采臣的母亲很喜欢小倩，想让她做自己的儿媳妇。小倩猜到了宁母的心事，对她说："我来了一年多了，是好是坏您全知道。我喜欢采臣，因为他光明磊(lěi)落，我非常敬佩。"宁母也知道小倩不是坏人，可还是担心小倩不能生儿育女。小倩对她说："儿女是天赐(cì)的，采臣是好人，不会因为妻子是鬼而没

★ 小倩为什么向采臣表示感谢？

家务事：housework

操心：worry; take trouble

稀粥：thin rice gruel

❦ 用"居然"造句。

儿媳妇：daughter-in-law

心事：sth. weighing on one's mind

光明磊落：open and aboveboard

敬佩：esteem; admire

★ 小倩为什么喜欢采臣？

生儿育女：bear children

赐：bestow

★ 采臣的母亲对小倩的态度有什么

有儿女的。"母亲很高兴，就和儿子商量。采臣也非常喜欢小倩，于是俩人就欢欢喜喜地结婚了。亲朋邻居们看见小倩，被她的美丽惊呆了，都说她是仙女来到了人间。

一天，小倩低着头坐在窗前，神色很不安。她忽然问采臣："燕赤霞送给你的皮口袋在哪里呢？"采臣说："因为怕吓着你，我把它收起来了。"小倩说："我和你一起生活很久了，现在已经不再怕了，取出来挂在门上吧。"采臣问为什么，小倩说："这几天，我心里总是不安，大概那个妖精又要来害我们吧。"采臣听后就把皮口袋拿出来挂在门框（kuàng）上。

夜里，俩人正在灯下说话，忽然，窗外飞来一个东西。小倩吓得躲在采臣身后。采臣一看，就是那天受伤逃走的妖精。妖精刚要闯进屋子，猛然间看到了门上的皮口袋，就停下来，盯着口袋看了半天，然后一点儿一点儿地走近那个皮口袋，伸手就去抓。忽然，皮口袋里伸出一只大手，把妖精抓了进去。小倩高兴地说："没事了！"俩人打开口袋，里面只剩下一些清水。

后来，小倩生了两个可爱的孩子，她和采臣恩（ēn）恩爱爱，过着幸福美满的生活。

恩恩爱爱:(of a married couple) be deeply in love with each other

美满： happy

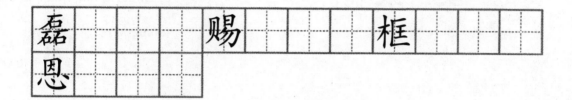

磊 　　　　赐 　　　　框

恩

赐　　　　操心　　　　稀粥　　　　心事　　　　敬佩　　　　亲朋

神色　　　　门框　　　　清水　　　　美满　　　　家务事

儿媳妇　　　　光明磊落　　　　生儿育女　　　　恩恩爱爱

读一读

不 怕 鬼

父亲带孩子去山上玩，孩子乱跑起来。父亲怕孩子出危险，就吓他说："别乱跑，小心山里有鬼！"孩子回答说："我不怕鬼。隔壁叔叔阿姨说你是烟鬼，奶奶说你是懒（lǎn, lazy）鬼，妈妈说你是死鬼。我天天和鬼在一起，我怕什么鬼！"

明子大声地说："要！"

"你喊什么！"

明子小小声说："要——"

58 受　戒(jiè)

一大早小英子就去看明子。许多和尚都刚受完戒，她一眼就看见了明子。

隔着河，就喊他：

"明子！"

"英子！"

"你受了戒了？"

"受了。"

"疼吗？"

"疼！"

"现在还疼吗？"

"现在不太疼了。"

小英子把明子接上船。

他们一人一把桨(jiǎng)。小英子在船头，明子在船尾。

她一路问了明子很多话，好像一年没有看见了。

她问，受戒的时候，有人哭吗？

受戒：be initiated into monkhood or nunhood

和尚：Buddhist monk

★ "隔着河，就喊他"表现了英子怎样的心情？

桨：oar

船头：bow; stern

一路：all the way

★ 为什么小英子"好像一年没有看见"明子了？

喊吗？

明子说，没有人哭，只是不住地念佛。

她问，方丈的相貌和声音都很出众吗？

"是的。"

"听说他的房间很讲究？"

"讲究。什么东西都是绣花的。"

"他屋里很香？"

"很香。他烧的香，贵得很。"

"听说他会作诗，会画画儿，会写字？"

"会。庙里走廊（láng）两头的墙上，都刻着他写的大字。"

"他是有个小老婆吗？"

"有一个。"

"才十九岁？"

"听说是。"

"好看吗？"

"都说好看。"

"你没看见？"

"我怎么会看见？我关在庙里。"

明子告诉她，庙里一个老和尚说，现在的方丈原来也是像明子这样的小和尚。明子说他以后也能当方丈。

念佛: chant the name of Buddha; pray to Buddha

♣ "不住"能用什么词语替换？

方丈: Buddhist abbot

相貌: facial features; looks

出众: outstanding

♣ 用"讲究"造句。

绣花: embroider flowers

♣ 用"……得很"组成短语。

走廊: corridor

181

"你当方丈，管这么大一个庙？！"

"还早呢。"

划了一会儿，小英子说："你不要当方丈！"

"好，不当。"

"你也不要当小和尚！"

"好，不当。"

又划了一会儿，小英子忽然把桨放下，走到船尾，趴在明子的耳朵旁边，小声地说：

"我给你当老婆，你要不要？"

明子眼睛鼓得大大的。

"你说话呀！"

明子说："嗯。"

"什么叫'嗯'呀！要不要，要不要？"

明子大声地说："要！"

"你喊什么！"

明子小小声说："要——"

"快点划！"

英子跳到中间，两只桨飞快地划起来。

★明子为什么"眼睛鼓得大大的"？

★明子为什么先"大声"说，然后又"小小声"说？

★俩人为什么"飞快地划起来"？

（本文节选自汪曾祺的《受戒》，有改动）

戒				桨				廊			

桨　　　和尚　　受戒　　船头　　一路　　念佛

方丈　　相貌　　出众　　绣花　　走廊

读一读

做一天和尚撞一天钟

　　庙里一般都有一口大钟，和尚的工作除了念佛，还要撞钟，所以说"做一天和尚撞一天钟"。原来指撞钟是和尚应该做的工作，而现在这句话的意思却不太一样了，是指不认真对待（treat; approach）工作，干一天算一天。

画家心里就是不明白："这洋人，怎么跟小孩子没两样呢？"

洋人：foreigner

两样：different

59 画家和他的孙女

孙女：granddaughter

画家有一个六岁的孙女，叫婷 (tíng)婷。婷婷也喜欢画画儿。

婷婷画了一棵树。

他说："婷婷，你画的树不对。"

婷婷说："怎么不对呢？"

他说："树枝不对。"

婷婷说："树枝怎么不对呢？"

他说："树枝怎么能比树干粗呢？"

★ 和"孙女"相对的词是什么？你还知道其他表示亲属关系的词语吗？

婷婷说："树枝怎么不能比树干还粗呢？"

他说："那就不是树了。"

婷婷说："不是树你怎么说是树呢？"

✿ 写出"粗"的反义词。

他无话可说了。

婷婷画了一匹马。

他说："婷婷，你画的那马不对。"

婷婷说："怎么不对呢？"

他说："马有翅膀吗？"

无话可说：have nothing to say

★ 画家为什么"无话可说"了？

婷婷说："马没有翅膀。"

他说："那你为什么给马画了翅膀呢？"

婷婷说："我想让马长出翅膀来。"

他说："那就不是马了。"

婷婷说："不是马你怎么说是马呢？"

他又没话说了。

婷婷还画了一只老母鸡。老母鸡下了一个蛋。那蛋比老母鸡还大。婷婷就拿那画去参加西班牙的一个国际儿童画展。结果，婷婷得了一等奖。画家心里就是不明白："这洋人，怎么跟小孩子没两样呢？"

★ 婷婷的画和实际的东西不一样，说明了什么？

西班牙：Spain

国际：international

一等奖：first prize

♣ 用"结果"造句。

★ 画家心里到底不明白什么？

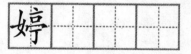

洋人　　两样　　孙女　　国际　　西班牙　　一等奖
无话可说

孩子：妈妈，您的头发怎么白了好几根呢？

妈妈：那是因为你老不听话，把妈妈气得头发都白了。

孩子：那爷爷和奶奶的白头发，是您和爸爸气的吗？

不！你应该保持这样，说不定哪天又时兴胖子了。

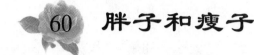

60 胖子和瘦子

说不定：maybe; perhaps

时兴：popular; fashionable

胖子：a fat person

这城里，胖子和瘦子是一对朋友。一个胖得让人吃惊，一个瘦得让人吃惊。

那时，胖子时兴。当官必须是胖子，画家专画胖子，女人也要挑胖子做丈夫。人们说胖子身体强壮，能显出真正男人气。这位城里最胖的胖子特别受欢迎，报纸上天天有文章赞扬他。他的经验是：多吃多睡，动不如静。这时候，谁都比不上胖子有名。

一天，胖子兴致勃勃地去找老朋友瘦子。他见瘦子依旧瘦得可怜，便对瘦子说：

"现在城里人人都学我，你是我的好朋友，为什么反而不学我？天下还有比你更瘦的人吗？"

瘦子淡淡地一笑，对得意洋洋的胖子说：

"别看你现在时兴，等过了这股

当官：be an official

男人气：manliness

经验：experience

不如：not as good as

★胖子为什么受欢迎？

兴致勃勃：full of zest; in high spirits

依旧：as before

反而：instead; on the contrary

❖ "这股劲儿"是什么意思？

劲儿，就该轮到我了。不信，走着瞧（qiáo）吧！"

走着瞧：wait and see

这一年，真有变化。不知哪来一种说法：人胖爱出汗，行动不便，容易得各种疾（jí）病。这说法立刻像一阵风吹遍全城，接着，有人在报纸上发表文章，说瘦子好，瘦子行动灵活，不容易生病，长寿（shòu）的人中，百分之九十八是瘦子。

疾病：disease

发表：publish

长寿：a long life

从此，人们又开始想办法使自己变瘦。瘦子被人当成宝儿。他的经验是：少吃多动。于是，以前写文章赞扬胖子的那些人又争先恐后地写文章，说瘦子的经验如何宝贵。报纸上胖子的消息一下子都不见了。

★ 瘦子的经验和胖子的经验有什么不同？

宝贵：valuable

胖子现在整天垂头丧气，想起过去的日子，他无比感慨（kǎi）地对瘦子说：

感慨：sigh with emotion

"以前你的话还真说对了，可我怎么才能瘦下来呢？"

❖ 这个"可"和"他可聪明了！"的"可"意思一样吗？

瘦子听了，摇了摇头说：

"不！你应该保持这样，说不定哪天又时兴胖子了。"

★ 读了这篇小说，你有什么感受？

（本文作者冯骥才，有删节）

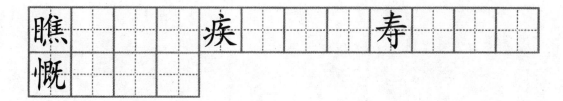

瞧				疾				寿				
慨												

时兴　　胖子　　当官　　经验　　不如　　依旧

反而　　疾病　　发表　　长寿　　宝贵　　感慨

说不定　　男人气　　走着瞧　　兴致勃勃

笑一笑

胖 子

　　有一个胖子，和朋友一起去海边（seaside）玩。朋友们下海去游泳，胖子死活（simply; anyway）不肯下去。朋友们问他为什么，他说："我可不敢下海，我这么胖，万一（just in case）渔民（fisherman）把我当成鲸鱼（whale），怎么办？"

生字表

1	yì 羿	dì 帝	shāo 梢	lí 黎	jìn 烬	chù 畜	yáo 尧	zhěng 拯	níng 凝	
2	jì 寂	mò 寞	wā 娲	bó 勃	gū 呱	miǎo 渺	yà 讶	dàn 诞	zōng 踪	yán 延
3	pǔ 朴	shěng 省	xiāng 箱	suǒ 锁	tán 坛	shǎ 傻	bào 暴	yǎn 掩		
4	cái 财	xī 嘻	hún 浑	dǒu 抖						
5	mù 墓	liáng 梁	niáng 娘	bàn 扮	háng 杭	jià 嫁	jìng 竟	huǎng 恍	wù 悟	bēi 悲
6	hē 呵	yíng 蝇	niàng 酿	xīn 辛	fèn 粪	miáo 苗				
7	dǎo 捣	guǐ 鬼	yán 盐	diē 跌	róng 溶	mài 迈				
8	péng 棚	mài 麦	mó 磨	huā 哗	dā 嗒	tū 突	ài 唉	tí 蹄		
9	yí 夷	wò 沃	yāo 妖	liè 裂	gōng 弓	téng 腾	yǒng 涌	xiá 峡	guì 桧	
10	sī 私	chí 迟	lì 厉	wěn 吻	fǔ 斧	hén 痕	nù 怒			
11	zhàng 帐	péng 篷	xiū 羞	róu 柔	mù 牧	sū 酥	kē 稞	jiā 稼		
12	xié 谐	xiǎng 享	mò 末	yí 颐	kù 库	huì 惠	zhé 哲	diào 钓	méng 蒙	
13	gé 阁	chǔ 储	dī 堤	lòu 镂	chè 澈					
14	lán 澜	guì 桂	lí 漓	xiá 瑕	luán 峦	tài 泰	tài 态	zhàng 障	fá 筏	
15	níng 宁	pā 啪	dàn 淡	huī 辉	shuò 烁	zhuó 啄				

16	lì 栎	chōu 抽	zhǎng 涨	jiàn 舰	mó 蘑	gū 菇	xī 膝	diāo 貂	tiǎn 舔
17	pō 泊	pēn 喷	diào 调	diào 吊	tūn 吞				
18	jùn 峻	xié 斜	guǒ 裹	liáo 缭	pào 泡				
19	qiào 峭	guǎi 拐	wū 巫	yǔ 禹	gě 葛	bà 坝			
20	mēn 闷	yāo 吆	tàn 炭	lián 莲	gǔ 骨	lín 淋	tái 苔	zhuó 浊	
21	jiāng 姜	yáo 姚	chóng 崇	qín 秦	xián 衔	zhí 职	táo 陶	yì 亿	
22	shè 涉								
23	qiān 谦	fá 乏							
24	zhì 质	chú 除	mào 貌	cí 辞					
25	fàn 范	zhèng 证	kuī 亏						
26	nóng 浓	lù 碌	jìn 晋	xī 羲	cè 侧	jiē 揭			
27	shuǎng 爽	diàn 殿	qí 祈	yí 仪	chán 婵	juān 娟			
28	zī 姿	zhuāng 妆	luò 摞	shèn 甚					
29	guì 柜	shì 似	cháo 潮						
30	chí 驰	xuán 悬	chēng 撑	fèng 凤	huáng 凰	tuō 托	qǐ 启	xí 席	tǒng 筒

31	bǎi 柏	sǎo 扫	jiǎn 检				
32	fǒu 否	gé 格	biǎn 贬	shì 饰	huán 环		
33	xù 恤	zū 租	yóu 鱿				
34	jīn 津	jiǎn 俭	guān 冠	yàn 咽	piǎo 瞟	chóu 酬	
35	jūn 钧	ò 哦	hài 嗨	nǔ 努	chī 嗤		
36	lìn 吝	sè 啬	wěi 委	qū 屈	chú 厨	chéng 惩	fá 罚
37	tāo 掏	dí 嘀	gū 咕	chà 诧	qí 歧		
38	cái 裁	féng 缝	zhuàn 赚	chǎo 吵	péi 赔	lí 厘	tǎng 倘　jí 辑
39	shuā 刷	nài 奈					
40	chán 缠	yǎ 雅	yàn 宴				
41	hán 含	pén 盆	lài 睐	jú 菊	cán 惭		
42	yī 伊	máng 茫	mò 陌	qiàn 欠	zhài 债	lì 励	
43	dǒu 陡	pān 攀	kuí 葵	hú 核	yá 芽	cè 测	
44	ō 噢	lù 露	róng 茸	tàng 烫	là 辣		
45	lì 笠	yáo 谣	shū 梳	qiào 翘	biàn 辫	gē 咯	

46	chóu 绸	dāng 铛	tān 摊	yù 裕	chǔn 蠢	chèn 趁	zhǔ 嘱		
47	rǔ 辱	líng 龄	ruò 弱	chì 斥	dèng 瞪	chóu 仇	jiù 疚	mǒ 抹	
48	miǎo 淼	huàn 唤	pín 频	yí 咦	lèng 愣				
49	bō 玻	lí 璃	yǔn 允	wéi 惟	wèi 慰	biān 蝙	fú 蝠	yīng 莺	yīng 鹰
50	cōng 匆	kū 枯	zǔ 阻	pái 徘	huái 徊	bà 罢	luǒ 裸		
51	nà 娜	máo 锚	liàn 链	xuān 喧					
52	cán 蚕								
53	jìn 浸								
54	fén 坟								
55	zhū 诸	shuài 率	shǔ 蜀	chè 撤	wèi 魏	yì 懿	jǐn 谨	shèn 慎	
56	niè 聂	qiàn 倩	chì 赤	xiá 侠	shī 尸	zàng 葬			
57	lěi 磊	cì 赐	kuàng 框	ēn 恩					
58	jiè 戒	jiǎng 桨	láng 廊						
59	tíng 婷								
60	qiáo 瞧	jí 疾	shòu 寿	kǎi 慨					

词语表

1	龙　天帝　枝条　树梢　黎明　穿越　周游　着火　灰烬　供给　家畜　拯救 凝视　神射手　热水池　五谷丰登
2	感觉　寂寞　荒凉　仿照　渺小　惊讶　工作　随时　诞生　生命　达到　方法 踪迹　麻烦　后代　延续　生气勃勃
3	省　锁　保险　简朴　安全　箱子　坛子　房屋　傻瓜　明明　暴露　掩盖
4	穷苦　欺压　杀头　坏话　发火　即使　浑身　发抖　老百姓　笑嘻嘻　行行好 金银财宝
5	墓　嫁　竞　姑娘　打扮　关心　感情　始终　送别　暗示　坚决　反对　绝对 花轿　墓地　悲痛　纵身　女扮男装　恍然大悟
6	粪　苗　矮小　头脑　山脚　集市　苍蝇　酿蜜　辛苦　过日子　乐呵呵
7	盐　跌　迈　怀疑　捣鬼　价钱　溶化　轻松　甩掉　重担　故意　海绵　救命 沉重　做买卖　走街串巷
8	马棚　麦子　磨房　去路　为难　突然　松鼠　吃惊　脚步　叹气　伯伯　亲切 前蹄　难为情　动脑筋
9	涌　瀑布　良田　沿海　肥沃　妖怪　干裂　世代　勇敢　弓箭　打滚　奔腾 海峡　断裂　然而　漫山遍野　拖儿带女
10	斧　自私　累累　粗暴　牌子　到处　景象　但愿　角落　冰冷　厉害　亲吻 围墙　手掌　伤痕　愤怒　自言自语
11	草原　帐篷　害羞　温柔　迷人　牧羊　放牧　藏族　青稞　气息　丰收　庄稼 哈达　敬酒　随着　力量　雄鹰　小伙子　酥油茶　一望无际　星星点点
12	乡愁　享受　乐趣　食堂　宿舍　周末　园林　宝库　北国　典故　快活　既然 何必　钓鱼　蒙上　哲学家　湖光山色
13	堤　镂　标志　依依　发动　储存　记号　别致　空心　灯火　透明　倒映　清澈 溶溶　区别　地方官　繁花似锦　亭台楼阁　成千上万
14	甲　观赏　流动　无瑕　水纹　峰峦　屏障　明丽　迷蒙　竹筏　画卷　波澜壮阔 水平如镜　拔地而起　形态万千　连绵不断

194

| 15 | 宁静 山谷 雷鸟 拍打 淡淡 翠绿 柔软 光辉 闪烁 朝着 经受 压力 |
| 惊醒 急速 柔美 动人 暴风雪 啄木鸟 |

| 16 | 抽 舔 松果 涨满 原木 舰队 视线 花坛 鲜嫩 蘑菇 木耳 人参 名贵 |
| 药材 膝盖 紫貂 乳白色 严严实实 |

| 17 | 人工 宝镜 苦难 火山 喷发 形成 湖泊 单调 对照 结冰 断流 风化 |
| 缺口 吞没 阴暗 不在乎 美不胜收 千军万马 欣欣向荣 |

| 18 | 裹 平原 行程 向往 险峻 斜坡 游荡 任性 神秘 缭绕 泉眼 水泡 珍珠 |
| 迷恋 半山腰 开玩笑 若隐若现 奇花异草 |

| 19 | 壮丽 河流 甲板 峭壁 金黄 惊叫 神女 治水 来往 导航 大坝 回想 |
| 感叹 山水画 拐弯儿 日日夜夜 天长日久 |

| 20 | 淋 雨季 丰满 厌烦 气闷 水分 果子 杨梅 苗族 不时 吆喝 火炭 |
| 通红 莲花 苔痕 浊酒 花骨朵 |

| 21 | 亿 伴随 注重 组成 崇拜 官衔 职业 司马 统计 人口 遍地 光明 |
| 字典 合适 相应 同志 小姐 女士 熟人 直接 |

| 22 | 了解 社交 闲事 聊天 干涉 话题 而已 变换 意味 工资 奖金 请客 |
| 分享 打交道 私生活 打招呼 AA制 |

| 23 | 对方 心理 文化 差异 重大 谦虚 过奖 指教 公司 老板 导师 失望 |
| 运气 误会 难怪 优势 赏识 缺乏 自信 美德 好感 |

| 24 | 习俗 交往 方式 点心 婚礼 质量 除了 礼貌 尊重 家庭 接受 当场 |
| 推辞 客气 心意 回赠 营养品 丢面子 |

| 25 | 看来 借口 重视 安排 再三 夹菜 尤其 相会 范围 恐怕 证明 欺负 |
| 吃亏 意义 吃耳光 |

| 26 | 浓 揭 传统 腊月 忙碌 东晋 两侧 半截 吉利 打工 饭店 晚会 |
| 扑克 忙活 鞭炮 映红 心眼儿 笑容满面 拍手称妙 男女老少 |

| 27 | 团聚 分外 远古 宫殿 陪伴 桂树 记载 祈求 仪式 愿望 品种 特色 |
| 心目 乐观 未来 婵娟 秋高气爽 花好月圆 长生不老 身不由己 |

| 28 | 串 摞 姿势 照相 即便 开朗 偏爱 婚纱 化妆 发型 服装 兴趣 |
| 展示 友好 甚至 模特儿 摄影师 出头露面 |

| 29 | 夹克 衣柜 笔挺 爱人 同事 人大 似的 衣料 精神 过时 西服 有意 |
| 花白 顺眼 潮流 中山装 审美观 翻来覆去 |

30	神奇 傣族 悬空 支撑 炎热 潮湿 凤凰 舒适 发愁 托起 启发 全新
	地板 凉丝丝 水烟筒 仙人掌 心驰神往
31	柏 扫 自学 词典 声调 发音 法文 部首 笔画 数量 掌握 检字表
32	否则 严格 限制 否定 贬低 责骂 语气 隔壁 环境 强调 肯定句 修饰语
33	字面 长期 具有 独特 落空 技术 精通 熟练 香波 T恤 聚会 最初
	打的 买单 风貌 人文 炒鱿鱼
34	咽 瞭 包子 民国 虚荣 高级 伙计 身份 招牌 理解 应酬 副词 条件
	省吃俭用 衣冠楚楚 进退两难
35	危急 能力 努力 挨着 正经事 千钧一发 愁眉苦脸 眼高手低 嗤之以鼻
	油嘴滑舌 耍嘴皮子 交头接耳
36	财主 长工 吝啬 干活 工钱 合同 补丁 膀子 抽烟 委屈 老爷 厨房
	惩罚 气呼呼 年轻力壮 口说无凭
37	掏 宰 恰当 烧饼 扑鼻 面粉 涨价 嘀咕 诧异 清淡 顾客 物价 歧义
	月份 词汇 严密 一阵子 热气腾腾
38	赚 赔 倘 思想 裁缝 心思 争吵 必要 厘米 当初 过活 编辑 厌恶
	空头 小气鬼 钻空子 心满意足 名不副实
39	传 悲伤 才子 迷信 证据 官府 相反 恶作剧 龙飞凤舞 账房先生
	无可奈何
40	缠 微妙 值钱 倾慕 见怪 随处 小便 平凡 成就 访问 宴会 改动
	位置 赢得 不敢当 至理名言 不登大雅之堂
41	精致 花盆 淡雅 青睐 羞愧 菊花 惭愧 含羞草 月季花 自鸣得意
	千姿百态 无地自容
42	茫然 陌生 口哨 珍宝 保留 欠债 归还 感激 赞美 鼓励 似曾相识
	擦肩而过
43	陡 测 攀登 入迷 松土 施肥 葵花 桃核 发芽 棍儿 台阶 凡是
	猜不透 西红柿 陆陆续续 莫名其妙
44	噢 烫 背 当中 童心 月辉 露珠 草叶 瓜园 后背 云彩 夏夜 毛茸茸
	差不多 热辣辣

45	斗笠 滋润 歌谣 柔和 看管 悠闲 梳理 翘起 滚圆 临时 任凭 影子 哪怕 小辫儿 脚指头
46	蠢 绸子 铃铛 风车 随和 富裕 手艺 看中 幸运 趁着 迅速 爱怜 嘱咐 摆摊儿 收摊儿 冷冷清清
47	瞪 抹 光彩 记录 耻辱 年龄 瘦弱 眼前 眼镜 忍耐 限度 训斥 挨骂 报仇 威风 愧疚 自尊心
48	淼 咦 愣 脱口 小名 呼唤 体面 响亮 频繁 庆祝 善意 生硬 绕口 车站 大众化 禁不住 默默不语
49	事件 天窗 乡下 光线 呼叫 玻璃 允许 关闭 惟一 安慰 猛烈 扫荡 威力 露天 帐子 蝙蝠 夜莺 总之 浪漫 黑洞洞 猫头鹰
50	枯 匆匆 空虚 尽管 旋转 水盆 阻拦 灵巧 叹息 徘徊 罢了 痕迹 白白 针尖儿 茫茫然 赤裸裸 转眼间 千门万户 一去不复返
51	胜 娇羞 女郎 珍重 蜜甜 忧愁 海员 起锚 抛锚 铁链 喧哗 到达 水莲花 沙扬娜拉
52	吹动 菜花 蚕豆 柳条儿 桃花儿
53	溶 浸 轻语 飘忽 困倦 半空
54	邮票 船票 新娘 坟墓
55	率领 败仗 撤退 报告 士兵 城楼 打扫 对付 亲自 果真 冒险 埋伏 谨慎 转移 打听
56	月色 妖精 强迫 迷惑 侠客 宝贝 靠近 尸骨 安葬 一再 受伤 读书人 夜深人静 说三道四
57	赐 操心 稀粥 心事 敬佩 亲朋 神色 门框 清水 美满 家务事 儿媳妇 光明磊落 生儿育女 恩恩爱爱
58	桨 和尚 受戒 船头 一路 念佛 方丈 相貌 出众 绣花 走廊
59	洋人 两样 孙女 国际 西班牙 一等奖 无话可说
60	时兴 胖子 当官 经验 不如 依旧 反而 疾病 发表 长寿 宝贵 感慨 说不定 男人气 走着瞧 兴致勃勃

197